文藝市場 カーマシヤストラ

第5巻

第4巻第5号（昭和3年4月）
関連資料・総目次・解説

［監修・解説］島村輝

ゆまに書房

『カーマシヤストラ』第４巻第５号。

『文藝市場』『カーマシヤストラ』復刻刊行にあたって

監修　島村　輝

『叢書エログロナンセンス』シリーズは、戦前ジャーナリズム界の異才・梅原北明を中心とした「珍書・奇書」類のうち、発刊当時の事情やその後の年月の経過によって閲覧・入手の困難となった書物、とりわけ多く「発売禁止」等の措置を受けた雑誌類を中心にして、復刻刊行しようとするものである。

そのスタートとして、大正・昭和エログロナンセンスを牽引した出版人、梅原北明の代表的な雑誌『グロテスク』（一九二八・一一〜一九三一・八）を復刻刊行した。また永く幻と謳われ、僅かに城市郎の発禁本コレクションに、その書影を確認するに留まっていた第二巻第六号（一九二九・六）も、無事これを発見し収録することができたのは幸運であった。

梅原北明の出版活動での到達点を『グロテスク』とするならば、その引火点は、同書肆より復刻刊行した『変態・資料』（一九二六〜二八）であり、そして導火線となったのが、今回復刻となる、北明個人の編集となってからの『文藝市場』（一九二七・六〜一〇）、上海にて出版されたとされる『カーマシヤストラ』（一九二七・一〇〜一九二八・五）である。『カーマシヤストラ』が、本当に上海で発行されたのか、それとも日本国内での刊行をカムフラージュするためのものだったのかは定かでないが、一九二八年に上海より帰国後、北明は出版法違反で市ヶ谷拘置所に長期拘置される。そして、仮釈放の後『グロテスク』刊行の内容見本制作に着手するのである。

今回の復刻により、『変態・資料』『文藝市場』『カーマシヤストラ』『グロテスク』という、梅原が編集に携わった雑誌が揃うこととなる。

サブカルチャーの領域から、近代をそして現代を照射する貴重資料であり、すべての文学・文化に関心を持つ人々が、この復刻を手許に置かれることを心から希望する。

凡　例

◇本シリーズは、『文藝市場』（一九二七〈昭和二〉年六月～同年九月＊梅原北明個人編集時期）、『カーマシヤストラ』（一九二七〈昭和二〉年一〇月～一九二八〈昭和三〉年四月）を復刻する。

◇本巻には、『カーマシヤストラ』No.5　第4巻第5号（一九二八〈昭和三〉年四月五日印刷）、及び関連資料を収録した。

◇原本のサイズは、二〇〇ミリ×一三八ミリである。

◇各作品は無修正を原則としたが、表紙、図版などの寸法に関しては製作の都合上、適宜、縮小を行った場合がある。

◇本文中に見られる現在使用する事が好ましくない用語については、歴史的文献である事に鑑み原本のまま掲載した。

◇本巻作成にあたって原資料を監修者の島村輝氏、ウェブサイト「閑話究題　XX文学の館」館主・七面堂究斎氏（http://kanwa.jp/xxbungaku/index.htm）よりご提供いただいた。記して深甚の謝意を表する。

目次

『カーマシヤストラ』No.5　第4巻第5号

Kama-Shastra

Société de Kamashastra

No. 5

中華民國第十七年四月五日印刷（非賣品）
（日本昭和三年四月五日印刷）
編輯發行兼印刷人　張　門　慶
發　行　所　中華民國上海法界霞飛路

1928.4

編輯前記

◇昨年來、騷かましい注文の一つであつた「末摘花」を思ひ切つて滿載しました。紙數の都合で第六篇までしか載錄出來ませんでした。次號には必ず、七、八の兩篇を入れて全部とします。

◇No. 4 よりの續稿は次號に必ず載せます。それに新らしい讀物も加へましたし、口繪も企たかけたつもりです。御期待までに一言。

◇本號の「閨房術」は「百戰必勝」を直譯したもので、難解の所には註を施してをきましたから嚙みしめて御覽になると頗る味が出ます。

◇本號の口繪にした「末摘花」の遊戲本は、未だ嘗て巷に飜刻されたことのない珍品で、あの繪をお持ちのかたは極めて稀れであらうと存じます。船の都合で間に合へば口繪の中に入れて差上げられますが、都合で少しおくれるかも知れません。そしたら、あとで送りますから、本誌中の口繪袋の中にお入れ下さい。この前記を認めてゐる本日迄には、未だ口繪の中味が印刷されてゐませんから、確かに、一緒に入れられるか、どうか疑問ゆゑ、一寸お斷りしてをく次第です。多分、一緒に口繪袋の中に入れて差上げられることでせう——とは思ひますが……。

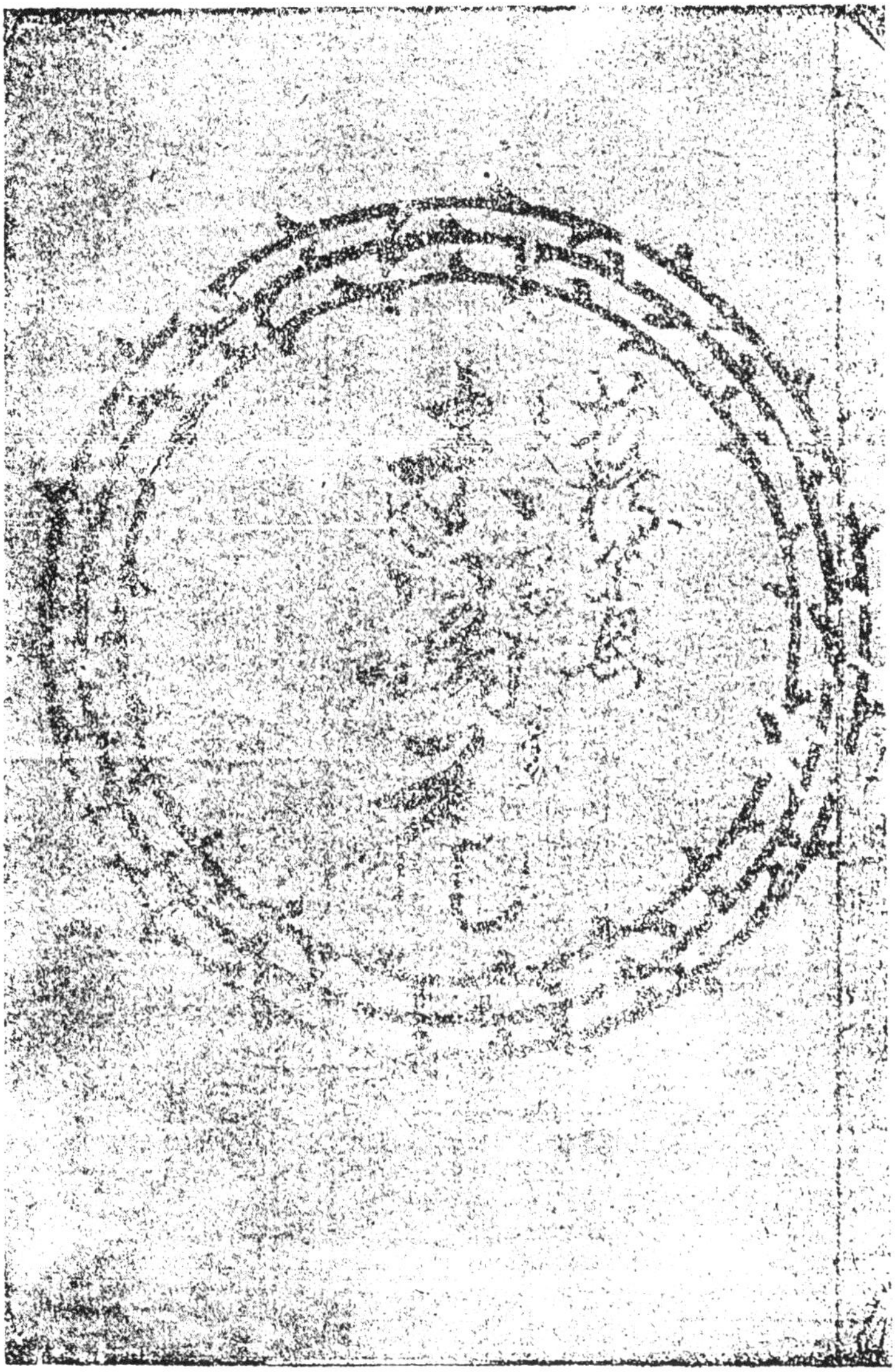

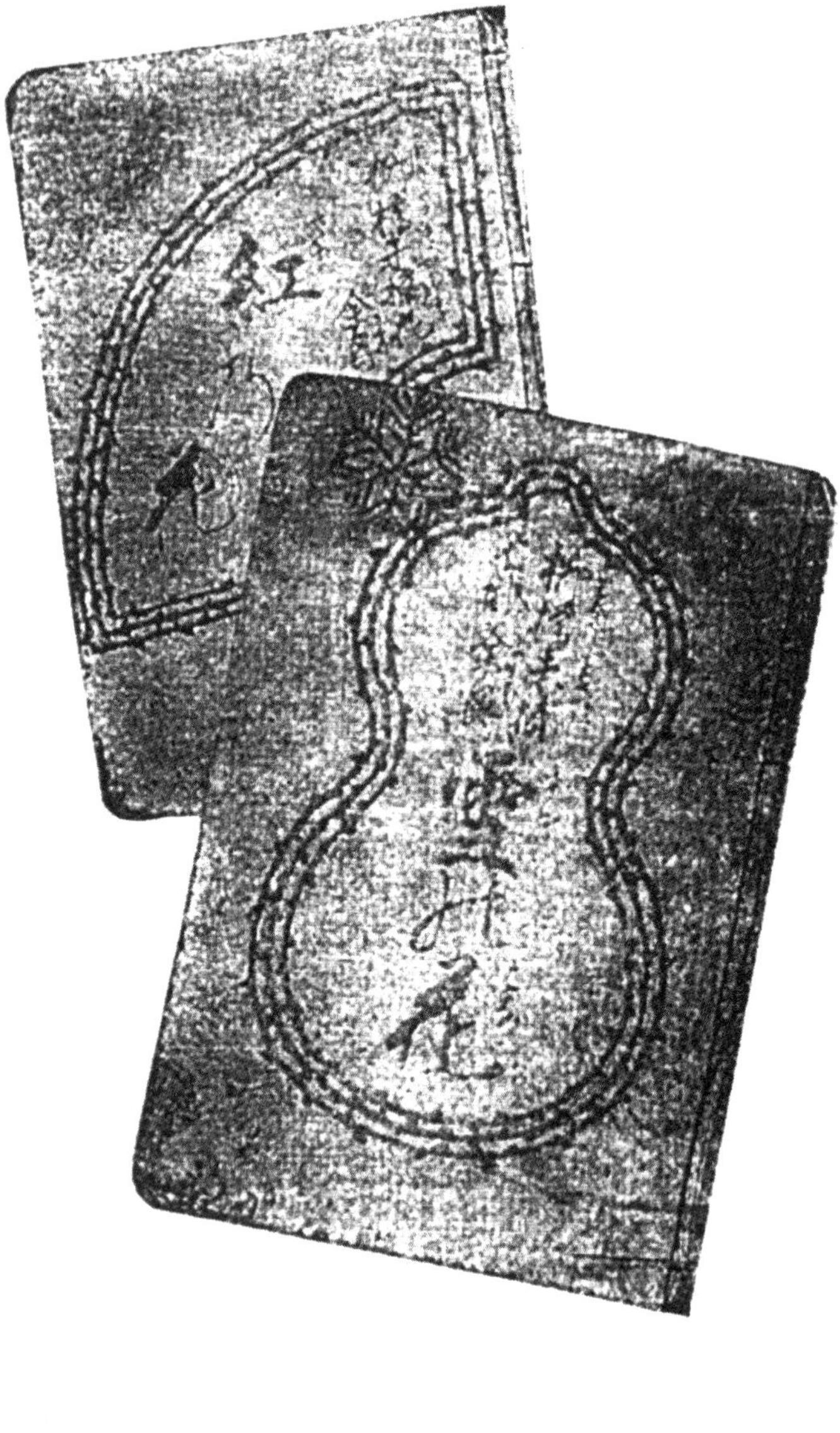

第四巻第五號

カーマ・シヤストラ目次

百戰必勝　閨房大秘術

本篇は、呂仙師養精口訣に依る百戰必勝の飜譯を試みたもので、吾々第三期のエロトマニアには一寸愉快なもの。飜譯と云つた所で、下手にくづして現代語などに書き直したんぢや味が扱けて了ふ。そこで忠實に直譯を施した次第。內容は御覽の通りカーマストーラ（愛經）を漢文でいつたやうなもので、噛みしめて讀む所に無限の珍味が湧き出てきます。

本論に入るに際し、以上の一言を促し置く次第。

眞經編　――（純陽演正孚祐帝君既濟眞經）――

既濟は易卦の名なり。坎を上にし離を下にすと爲す、離は男なり。（註一）經中の虛を眞陰（☲）となす。故に男は外陽にして而して內陰坎は女の卦なり。（註二）中滿を眞陽となす。（註三）

故に女は外陰にして、而して內陽坎離交姤なり。（註四）眞陰を采り以て眞陽を補ふ、則ち純陽なり。故に既濟を以て篇に名く。（註五）希賢道を慕ふ事既に久し、茫然として得る無し、偶々仙師呂純翁に遇ふ、心に矢《ちか》ひて、信從し、盤桓數載、其の女色日に親しみ神氣日に王《さかん》なるを見る、竊かに駭《おどろ》けり。謂ふべし眞を脩するものは精養と。（註六）氣を煉り根に歸すと、呂師笑て曰く、人を以て人を補ふ之れを眞人といふ。（註七）此に於て、道を語《そらん》ぜざるか、聞く因り、肘後の既濟經を出し、密かに口訣を示す、余方に豁然として道の邇きに在るを知れり。經は百句ありて、東《かれ》を援《と》り、西《これ》を說《と》く、因り妄りに其の淵邃を箋闡にす。（註八）眞を脩する者を俟て之れを賓す。


（註一）說卦に離を中女となす、此に離を男となすといふものは、蓋し外陽にして內陰に取るなり、易の象變化窮りなきこと此の如し。

（註二）坎は二陰一陽中男の卦なり、今は此に女の卦とす。蓋し外陰にして內陽に取るなり。

（註三）中の一陽爻をなす。（☵）

（註四）姤の字疑ふべし、交姤の熟字未だ經見せず、或は合の誤りか宜しく再訂すべし、坎離交合猶男女精を搆するといふが如し。

（註五）此の一段は既濟の卦をさく、眞陰眞陽は坎離の中爻をさす、二五相應じて萬物を化生するをいふ。

（註六）　文理を以てこれを推すに、宜しく養精に作るべし。

（註七）　陽を以て陰を補ひ、陰を以て陽を補ふ、適宜の交接を施して毀さず、汲むともつきず、之れを眞人といふ、眞人とは道を得るの人をいふなり。

（註八）　箋は註なり、闡は明なり、淵は深なり、邃は深遠なり。

上將は敵を御すること工《たくみ》に、挹《たふ》り、吮《ねぶ》り、吸《す》ひ、心を遊しめ、形を委ね、目を瞑ぢて喪失す。

上將は眞を脩する人に喩ふなり、御とは事を行ふなり、敵とは女人なり、初め房《ねや》に入るとき男は手を以て女の陰戸を挹り、舌にて女の舌を吮り、片手にて女の乳を挹り、鼻にて女の鼻中の淸氣を吸ひ、以て彼の心を動かす。我宜しく强制して而して心を淸の上に遊しめ（註一）形を何有の鄕に委すべし、目を瞑《と》ぢて視る勿れ、自喪自失其の心を動かさず。（註二）

（註一）　女の色慾情を起させ、此方の慾情をこらへしのんで居る。淸の上に遊ぶとは心をしづかにおさめて居れといふなり。

（註二）　此方の精氣を貯へ妄りに泄さぬをいふ。何有とは、なにもないこころわれを忘るゝをいふ。

擊んと欲して擊ず、兵を退けて敵を避け、我戈矛を脩め、戰ふに似て復た畏る。彼の勞を持ち我の逸を養ふ。

（註）女は男の事を行ふを欲す、男却て行はず、これ精氣を蓄ふの工夫。退とは動かぬをいひ、避とは氣をおさむるをいふ。脩は動かさぬなり。戈矛は即陽物なり。事を行はんと欲して却て行はず畏縮の模樣をなす。本書待下脱彼字令補之勞とは女の慾心甚だ切にしてつかるゝをいふ。逸とは我れ吾をおさめて動かぬをいふなり。

擊んと欲すれば、彼れ動くを欲するなり。（註一）脩は彼の手來り摩弄するなり。（註二）戰ふに似とは我なり（男をさす）。彼（女をさす）。我動くを欲す（女事を行はんと欲す）。我却て動かず（行はず）。而して身を退き以て之を避く、彼れ來り我陽物を摩弄せず（註三）我即ち示すに戰に似たるの狀を以てす、而して復た詐り畏怯の形をなす、彼の勞を待ち以て我の逸を養ふ、

（註一）彼は女をさす、動くを欲すとは女が男の事を行ふを欲するなり。

（註二）我れ動かぬ故に、彼手來て我が陽物を摩弄するなり。

（註三）避くるにより彼の手來つて陽物をなぶらず、男情なき様なるにより、女も遠慮する氣味。

盜興憑陵魔兵蝟臻す。吾方に徐ろに旗鉦を起し、營を出て、戈を交ひ鬪はず、冥々に入るを思ふ。彼れ操んと欲れども亦破る。我れ城を堅ふし、溝を深ふし、壘を高ふして、閉ぢ固めて驚かず、時に復戰を挑む、敵兵來り迎ふ、應ぜざるもの丶如くし、兵を退けて緩行す。

（註）盜興とは盜女をさす、興情の動くをいふ。憑はよるなり、陵は侵すなり、女の男にせまる氣味。女の情慾心盛んに動くこと恰も魔兵のむらがりいたるに似たるをいひ、蝟は毛刺ある虫なり、物の群り集ること蝟の毛刺の如くにたとふ。旗鉦は陽物にたとふ。營を出づは褌を脫するに喩ふ。旣に交接すれども激戰せずゆるく事を行ふ鬪ひに同じ。冥々は暗きなり、暗きに入るとは心を靜め動かぬをいふ。女交接を欲すれども我れ動かず、破とは志を得ざるをいふ。我れ慾火を靜め耐へ忍び彼がために驚動せざる狀を形容す說得て尤妙なり。やゝ久しふして一と度彼を動かす。敵兵は女をさす、殆ど情に耐へず。ゆるく靜かに事を行ふ。

盜者は女なり。彼の情興已に濃にして、其の勢ひ、魔兵の蝟起するに似たり。我れ當に徐々に之れに應ずべし、但し交りて而して鬪はず。（註一）鬪は動を謂ふなり。（註二）冥々に入るを思ひ、靜かに以て之れを待ち、心之れがために動かざるなり。（註三）彼れ鬪はんと欲して而して得ざるを致す。（註四）必ず下より動くを以て、吾れ上を撼《うご》かす。（註五）吾れ將に目を瞑ぢ氣を閉ぢ大小便を忍ぶが如くすべし。（註六）吸縮め驚動をなさず、良久の復、一たび之れを挑む、挑も亦動くなり、彼れ必らず大發興して而して應ず、（註七）即ち方に退却し止る、寸許を內に於て留るなり。

（註一）但しあいしらうのみ容易に泄さず。
（註二）動は則ち氣發泄す故動かず。
（註三）大將牀几にかゝりゆつたりさして妄りにたゝかわざる模樣。
（註四）女交接を望んで得ず。
（註五）女もさより下にあり、我もさより上にある。
（註六）我に需め而して戰ひいまだなかばならず。
（註七）一寸ばかり留めて內にあり、之れ戰將勝を取るの妙策。

敵勢縱横吾れに逼る、兵を進めて吾れ入れば遂に走る。（註一）其の形を偃仰《えんぎょう》し、偃《ふす》る如く、仆《たほ》る如くす、敵必ず來りて吾を凌ぐ、敵人に謂ふ我令下に居る（所謂茶臼）、汝上に處居せよ、上も亦了々、（註二）彼れ擾《みだ》り（註三）我專ら（註四）勝たざるはなし。（註五）

（註一）入れて遂に去る敗北するに似たり、其の實は敗北にあらず、戰勝の策略。

（註二）茶臼なれどもホンマと同じ。
（註三）女の慾情したゝるをいふ。
（註四）我れ氣を守ること專ら。
（註五）敵を充分調弄しよがらせる。

勝とは我れ彼れに勝つことなり。敵、興すでに發すれば、必ず我に逼る、兵を進めて答《こた》へざるべからず。（註一）遂に坤戸に入る即ち復た外して退く、翻り走り仰臥すること僵仆の形の如くせば彼の慾心張往して、復た來りて我を攻む。我れ遂に下に居り、彼れに上にあらしむ、而して之を誘ふ、自ら動けば則ち我れ專らにして而して必ず勝つなり。（註二）
（註一）女の慾火已に發動す、此時我れも亦忍耐し得ず則ち彼れに應接す。
（註二）坤戸は女を門なり、退とは出すをいふ、張往は盛んなること、自動とは敵人の動くを云ふ。

敵既に高に居り、高を以て下に臨む、我兵戒嚴、遂に我馬を控《とど》む。（註一）龜蟠、龍翕、蛇呑虎怕、彼の兩軍を撼《ひね》り、彼に罷《や》む勿らしめ、我兵に驚きを覺へば、之れに高住せしめて、下す勿れ、鬪ふ勿れ、（註二）其の風雨を候《うかが》ひて須臾の間兵を化して水となす、敵まさに來りて降る。

我れ善く爲めに理して其の心に服せしむ。（註三）　翻つて予が美となす、亦兵を戢《をさ》めて高壘に藏《かく》る。（註四）

（註一）　我れ上にあり、兵は陽物、戒嚴は妄りに動かすなり。陽精もれんさしてもらさず。

（註二）　龜、龍、蛇、虎は戰將他を調弄抑揚するの形容をいふ。兩軍は女の二つの乳なり。　我兵の巨大にして且つ勢力の强きに驚くを覺へば、矢張り我上に居して暫く猶豫す。

（註三）　敵の精氣の發泄をうかごふ、敵味方共に精氣もれ、女の快樂極まる、我れうまく取扱ひて眞實惚れ込ませる。

（註四）　彼の樂しみ却つて此方の樂しみさなり、事おしまひ、兵具を拭ひ、寢卷のうちに臥するなり。


此の至要の心訣（註一）重ねて龜蟠、龍翕、蛇吞、虎怕の八字にあり。目を瞑し、口を閉ぢ手を縮め、足を踡《ま》き、谷道を撮住して、心志を凝定す龜の蟠るなり。（註二）眞水を逆吸して尾閭より上流し、連絡して已まず、直に泥丸に入る龍の翕なり。（註三）蛇の物を吞むや微々として啣《ふく》み嚙《か》む、物の困するを候ふて復た吞んで而して入る必ず放ち肎《がへん》ぜず。（註四）虎の獸を捕するや、先づ知覺するを怕《おそ》る、身を潛《しづ》まし默視して必ず持し必ず得る。（註五）此の四法を川ふれば、則ち彼は必ず疲る。乃ち手を以て彼が兩軍を撼《よ》る、撼は撚《よ》るなり。兩軍は乳なり、之れに興を濃ならしめて殺さず。又之れを戒むるに身を騰《のぼ》し、高起し、動く勿れ、下る勿れ、彼の眞精降下するを候《み》たば、則ち彼の心忘る我れ反て善言して戰を挑む、彼れ既に心服して而して我れ其の美を得る、則ち收斂して而して退き密かに藏《かく》るなり。（註六）

（註一）　此の一段は至理を解く肝心の心法。

（註二）　攝は挽なり攝住は引き留むる貌、谷道は谿谷の道すち即ち精輸管に喩ふ、龜はよく氣を呑伏するものなれば心志を凝するに喩ふ。

（註三）　眞水即ち精液我上にありて事を行ふ故に逆吸といふ。醫書に陰道尾閭とあり尾閭骨陰道に近き所にあり子宮に通ず。精液續いて尾閭より上流して止ます。泥丸即上極小説に泥丸脂の字あり則ち耳の垢と訓ずされど此の泥丸は頭腦を指すに似たり。翕は動くなり斂なり。

（註四）　戰將徴々に他をなぶり疲るゝをうかがひ再び戰他をはなち肯ぜざるをいふ。

（註五）　獸の知覺するを怕る。戰將勢猛なれども敢て妄りに手を下さず其の要心得を期す。

（註六）　敵をして充分にいきつかしめず。氣をしづめて敢て動搖せず。言は工にあやなして復交接をいごむ。


再び其の食《へい》を吮《ねぶ》り、其の粒《ちう》を捏《なぶ》り、粒を吮《す》ひ密かに煙兵復た入る。

第二次の事を行ふ。食は舌なり。粒は乳なり。密は陰戸なり。短兵とは縮れば則ち短きなり、復た入るとは、陰戸に入る以て之れを動かすなり。(之とは女をさす)

敵兵再び戦ふ、其の氣必ず熾んなり、吾又偃仰して兵の至るを候《うかが》ひ、以て挺闘し、彼れ風雨愈々下る能するなき者の如し。

(註) 再び事を行ふ時女の精氣益々さかんになる。敵兵の氣至るをうかがふ。挺はぬくこと、闘はもと閉ぢふさぐの義なり夫れより轉じて此にては入るの義なり。風雨は精液なり。

敵人愈々奮ふ予之れを戒めて止まり、兩軍相對して咫尺を離れず、敵と與して言を通じ戦ふ勿れ。忌る勿れ、坐して歳月を延して其の氣の止むを待つ、心愈々次の如し、言溫して醴《あまざけ》の如し、緩を以て自ら處し、緩を以て彼を視る。

(註) 寸許を留めて戸に在り内に余りて外に在り兵器の巨大なる知るべし。

愈々奮ふとは彼動いて止らざるなり。予乃之を戒め止まり而して動く勿れ、彼れは上、我は下、兩軍なり。咫尺を離れずとは一寸を留めて内に在り餘りて外に在るなり。又之れと言ふ、動く勿れ。弄る勿れ、坐して延る。女復た手足を以て支へ起さしめ、其の氣精未だ降らざるを待ちて又我心愈々死《ひやゝ》かなる灰の如く而して言語は須らく甜温なるべし、彼れ興濃ならしむ而して我れ緩を以て之に待すなり。

（註）我兵器十分に門戸の内に入れず。女頻りに慾心發起すれども、我れゆる〳〵こり扱ふ。

我れ緩、彼れ急勢にして復た大に起る、兵も亦既に接す、入りて而して復た退く、又其の食《した》を吮り其の粒を捏りて翻虎蛇龍、蟠怕吞翕、彼れ必ず兵を弃つ、我れ風雨を收む、是れ既濟延安一紀と曰ふ。戰を收め兵罷む、空懸仰息し、之れを武庫に還す。上極に升《な》す。

（註）女の慾心大ひに發動してすでに交合す、この八字の秘術を盡せば敵必ず降參す。我れも亦事をなしまひて命をのぶること十二年、床に腰をかけ身を仰けて休息す。

大いに起るとは興濃《こまやか》なり、彼れの興既濟す我れまさに復た入れ深淺法の如くすべし、間ま復た少しく退き又必ず其の舌を吮ひ其の乳を捏り、依りて前番の工夫を行ふ。則ち彼が眞精盡く泄る而して我れ翕を收む。既濟は既に眞陽を得るなり。一紀十二年なり一御既に眞陽を得れば則ち壽を延べて一紀なるべし、武庫は髓海なり、上極は泥丸なり。戰罷《や》み馬を下り、將に身を仰けて平息し、腰をかけて動搖し、泥丸に上升し以て本元に還るべし、則ち疾病を生ぜず長生を得べし。

（註） 前番の工夫とは龍蛇等の術なり。敵の精盡き泄れ我却て吾氣を收翕す是を以てしば〳〵戰へども身に勞を覺えず。ぼどこして却て益を得、一御とは一交接なり。髓海は髓骨中の脂なり。精氣を上極に返して以て長生を得となり。

山を爲る九仞、功一簣に始まる。傳ふるに匪ず神を全ふして悟入す。

（註） 八尺を仞と日ふ。一簣は土かごなり。爲山はもと論語の語、長生の仙となるも一交接其の法を得るより始まる、然らば則ち戰將たるもの敵を御するの法知らざるべけんや。

山を爲る九仞九天仙と爲るなり、一簣直陽を一粲す。一粲は壽を延し、一紀是長生一粲に始まるなり。此の道有德に非ればば傳へず、蓋し德あればば則ち神全ふし、神全ければ則ち心靜なり、故に能く悟入して而して之れを行ふなり。

演義論 ――（紫金光耀大仙修眞演義）――

漢元豊三年巫咸は脩眞語錄を武帝に進む。（註一）武帝用ふる能はず惜しい哉、昔は後世に傳はり、微しく其の術を語ずるものも亦支體頗健にして壽を延し、之れ種子に施すを得たり。（註二）聰明にし、養ひ易し、然れども將に忌むべきあり、先つ忌を知り方に次第に功を行ふべし。（註三）因つて功を棄すべからず、亦闕くべからざるなり、脩眞之れ亦將に自ら之れを得べし。（註四）

（註一）巫咸は堯の時の人堯の醫生となる。漢の武帝の時の人となすものは寓言なり。

（註二）其の術を行る人は、施して費さず御してつかれず、ひとたび御すれば十二年の壽命を延ぶる、若しそれ幸に子を得る時は、其の子極めて聰明にして身も亦強健且つ育て易し。

（註三）斯の道元も次第なかるべからず、次第なければ即ち荒淫なり、其の事はつまびらかに記しあれど之れを行ふは其の人の自得にあり。

五　弃　當レ　知

凡そ女子を御するには先つ五弃を明かにすべし、聲雄、皮粗、髮黄、性悍、陰毒妬忌、此れ一弃なり。（註一）

貌惡、面青、頭禿、腋氣、背駝、胸凸、雀躍、蛇行、此れ二弃なり。（註二）
黄痩、羸弱、體寒、氣虚、經水不調、此れ三弃なり。（註三）
癲、聾、瘖瘂、跛足、眇目、癬疾、癜瘋、太肥、太痩、陰毛粗、陰毛密、此れ四弃なり。（註四）
年四十産多きを以て陰痩せ氣衰へ皮寛し、乳慢む、益なく損あり。（註五）

（註一）男の聲に似たるもの。皮膚のきめこまか〻らざるもの、かみの毛黄なるもの、性急なるもの、陰戸に疵あり其の性ねたみ且ついむものはすつべし。

（註二）なり貌すべてあしきもの。顔色青きもの。頭の毛はげたるもの。わきがあるもの。せむしのもの。胸の高くはり出でたるもの。歩行するに足の地につかず飛びあがるもの。なゝめに行くもの。

（註三）肌黄ばみ且つやせたるもの。疲れ弱きもの。身体ひえるもの。氣身体にみたざるもの。月經不順なるもの。

（註四）てんかん、つんぼ、おし、ちんば、すがめ、ひぜん、なまず、肥りすぎ、やせすぎ、毛まばら、毛多きもの等。

（註五）四十すでに衰ふましして多産は陰痩す。多産後に衰へ且腹皮のびゆるむ。緩みて両乳下垂し胸をおほふ。此等の女子に近づくべからず男子に於て益なく損あり。

五忌當レ知

交合に期あり、五忌須らく知るべし。三元、甲子本命、庚申、天地交合、日月薄蝕、晦朔、弦、望、大風雨、雷鳴、電擊、三光之下、此れ一忌なり。（註一）

山林園沼、道堂佛殿寳塔神祠、江淮河濟、此れ二忌なり。（註二）

大寒大熱、大飽、大喜、大飢大醉、大小便急閉氣無情、此れ三忌なり。（註三）

久病まさに痊遠、疲倦に歸す。此れ四忌なり。（註四）

婦人産後未だ四十九日に滿たざる、穢汚尙ほ存す。此れ五忌なり。惟ふに五忌を知れば、將に之れを避くるを知るべし。犯す者はただ自ら損するのみ、種子も亦殘疾多し、不良なるは蓋し賦稟の不正に由る。（註五）

（註一）　猥りに交接すべからず。三元は歲の元旦なり。一甲子六十日甲子は日の始まりなり　本命は我生日よろしく愼むべし。酉陽雜俎に曰く凡そ庚申日を三尸と言ふ人七守を過ぐれば庚申三尸滅す　三守すれば庚三尸伏すと。天地交合は寒暑冷暖氣候うつりかはる時をいふ。日蝕月蝕。三日月。十五夜。天變地變。いなづまの光るとき、日月星のてらす下。にて交接すべからず。

（註二）　人の遊宴の地交合すべからず。神明佛陀をけがす。四大河の神をけがす。

（註三）　大寒中大暑中交合すれば体氣を損す。大食後、醫家亦大喜の時交接するを禁す。鼎は卽ち陰戸なり。

（註四） 此の時交接すれば体氣を損す。

（註五） 五十日を過ぐれば卽ち可なり。若し汚穢の時に生ずる子は必ず多病不良愼むべし。

神氣宜レ養

攝生の道は其の方を寧かにするを貴ぶ、夫れ色欲を寡くし精氣を養ふ所以なり。滋味を薄くするは血氣を養ふ所以なり。津液を咽む肺氣を養ふ所以なり。嗔怒を愼しむ肝氣を養ふ所以なり。飲食を節するは胃氣を養ふ所以なり。思慮を少くするは心氣を養ふ所以なり。自ら省悟するは肉氣を養ふ所以なり。之れに遵ひ行はゞ則ち氣壯にして神餘るなり。人戌亥に陰消陽散の時に於て宜しく醉飽朝寐し以て百脉壅《ふさが》り滞《とどこほ》り關節停頓を致すべからず。此際は當に先づ四脉を導くべし、次に手足を展べ、氣機を斡運し、百體を動搖し、關節を開通し榮衛を流暢せしめ、陰陽和合し精固く神全く邪氣に入らず寒暑に侵されず斯を攝養の道を爲すなり。

（註）滋味は元血氣を補益するもの、然るに之れを過せば五臟の工合を損し血の製造を減ず故に滋味は薄くすべし。津液猥りに吐す、內に蓄ひ肺をうるほす。嗔怒は怒りなり。みづから事理を省りみさされば內自ら安し、內安ければ氣力を增す。氣力を增せば自然に肌肉を生ず。戌は夜の五つ時（今の八時）亥は夜の四つ時（今の十時）四脉は手足の脉。斡運は運動なり。榮衞は所謂脈維白脉なり。

房　內　靈　丹

（靈丹は元仙家長生の神藥今玆に其の藥なし、然れども說く所の如く其の方を行へば長生壯健なるを猶彼の仙丹を服するに同じ故に靈丹といふ。）

訣に曰く、人を以て人を補ふ自ら其の眞を得て陰陽の道精髓を寶となす、搬《うつ》して而して之を運す、天に後れて而して老ひ、房中の事多く能く人を殺す。亦能く人を養ふ。能く之れを川ふる者以て生を養ふべし、能く用ひざる者則ち以て命を殞《おと》す、人善く房中の術を悟る關を通し氣を引きを運し髓を補ふ故に能く長生す。

（註）眞經に所謂眞陰をわきまへて眞陽を補ふ是れなり卽。ち精液は人身中の至寶化育の元なり。天よ

りおさから老ふ即ち長生を云ふなり。娥眉伐性の斧もし御するに其の道を得れば身に益ありて損なし。血より精液を泌別し以て生育をなす自然の妙用此物あれば此の用あり故に善用すれば却つて長生す。

鑪中寶鼎

鼎は神丹を煆煉するの具にして眞を溫くし氣を養ふの爐なり。須く未だ生産せざる美婦の淸俊潔白無口體の氣をして眞鼎と爲すべし、之れを用ふれば大ひに能く補益す、此の外前五弁の如きものは用ふべからざるなり。

（註）温し眞さは男子の精神を温補するを云ふ精神を温補すれば自ら能く氣を養ふ。彼の鼎は即我温眞のなり。口及腋陰具等の臭氣なきものを用ふ。

男察二四至一

男子の玉莖振はざれば陽氣に至らざるなり。振て而して展《の》びざれば肌氣に至らざるなり。展びて而して硬《かたか》らざれば骨氣に至らざるなり。硬くして而して熱せざれば神氣に至らざるなり。凡そ交合は先づ四至を察して而して後之れを行ふべし。

女審ニ八到一

女人默して津液を咽めば脉氣到るなり。身を將《ひ》き人に附せば胃氣到るなり。力を以て人を動せば觔《きん》氣到るなり。人双乳弄べば肉氣到るなり。眉尖頻蹙すれば肝氣到るなり。玉莖を握り弄すれば血氣到るなり。人の舌津を唾《くら》へば肺氣到るなり。滑液流出すれば脾氣到るなり。俱に到りて交合すべし。

（註）脉氣到るは脉度進むこと、胃氣到るは慾穴漸く動くこと、觔氣到るは慾情益々切なること觔は筋と同じ、眉尖頻蹙とは眉をほそくひたいをしぼむこと、滑液流出は陰よりなり。脉胃觔肉血肺諸機ことごとく動く時失ふべからず。

玩弄消息（玩弄して其の樣子をうかがふ）

凡そ交合せんと欲せば先づ自ら神を凝し、性を定め、女人を抱え拄《とど》め、溫存にして彼の唇口を咂ひ、彼が双乳を撚り、女に玉莖を握弄せしめ、他の心を動さしめて後、手を以て陰戸を探り、微《すこ》しく滑津ありて方に交合すべし、爐に入り法に依る、綏々に功を施す、女心暢快にして而して先づ敗る。

(註) 凝レ神定レ性は敵に遇ふて動かず所謂静かなること處女の如きなり、温は言葉を和ぐるをいひ存はなぐさむるなり。綏々功を施すの工夫は先づ自ら神を凝し性を定むるにあり。吾徐々と功を施す彼たへず先づもらす。

鼓ニ舞心情一

婦人の情沈潜隠伏して何を以て之を動かさしめ、何を以て之が動くを知らん、之を動さしめんと欲するに、酒を嗜む如きは則ち飲せしむるに香醪を以てし、情話を多くし、甘語を以てす。財を貪る如きは則ち贈るに錢帛を以てす。淫を好まば則ち歓ばしむるに偉物を以てす。婦人の心終に主とする處なし、能く景を見て情を生ず、動かざるなし。(註一) 其の動くを知らんと欲せば或は氣喘《せき》て而して聲顫《ふる》ひて止まず或は目を瞑《と》ぢ鼻を開き而して言ふこと能はざるもの有り、目を噬め而して睟を定めるあり、或は耳紅く面赤くして而して舌尖を微冷するもの、手熱し暖かに而して語言嘈雜するものあり、神思恍惚として而して體軟かに四肢收らざるものあり、或は舌下津乾き身を將《も》つて男に迫り近づき或は陰穴脈動して滑液盈溢する等の狀は皆情動の驗なり、將に此の時に當り宜しく急燥にすべからず緩々に採取すれば則ち眞陽を得るなり。

（註一）香醪は酒の一種よき香のするもの、情話は色事ばなし、甘語はうまいはなし、偉物はすぐれたる一物、婦人の情は一定することなく只男子のなす仕方により慾情を生ずるものなり。故に如何なる婦人と雖も此の如き術を盡せば心動き從はざることなし。

（註二）噬は遊と同音にて此所にては目の働かぬなり。嘈雜はやかましくしやべるなり。恍惚はほれぼれ。採取は事を行ふをいふ。法の如く御すれば所謂眞陽を得て男に損なく却て益を得るなり。

淬　鋒　養レ　鋭

（淬は火と水と合するをいふ即ち劍を焼いて水に入るなり。凡そ物利を鋭といふ。要は我兵器を鍛へ養ふをいふ。）

交合の時男若し玉莖長大にして陰戸に塡滿するものは、女情必ず暢美し易し。莖を展るに蓋し法あり。語に曰く工《たくみ》に其の事を善くせんと欲せば必ず先づ其の器を利す知らざるべからざるなり。毎日子後、午前、陰消、陽長の時に當り靜室中に衣を拔き、東に向ひて端座し、神を凝し慮を屏《しりぞ》け、腹は飽くべからず飽は氣嗽す、津液咽を閉ぢ丹田に送り下す。運びて玉莖に入る七數を以て度となす或は二、七、三、七、七七、に至りて止む。（註一）手兩を將《と》り搓《す》り熱めて火の如くし、腎囊を托し玉莖を併せ握り、左手を臍下に干す、左に轉摩すること八十一次、右手に換へ右に轉摩すること八十一次、右手を尾閭に干し申《の》べ玉莖根を提起し上に向ふ、根に就て捏住し、莖を以て左右の腿上に於て擺擊す、其の數計られず、後乃ち女を抱き綏々と玉莖を陰戶に納し、女の津液を探り、女の鼻氣を吸ひ、咽を閉ぢ玉莖を存送し以て之れを養ふ。後復た兩手を以て莖《おわ》を撓状《なうさま》の如くし之れを揉《も》むこと數を計られず久しくして自ら長大を覺ゆるなり。若し采戰を行はんには先つ絹帶を用ひ、莖根を束ね固くし、次に兩手を以て上下し、腎囊と同じく捧げ起し、津を嗽《す》ひ、氣を吸ひ、咽《の》んで丹田に送り隨ひて尾閭を提《あけおこ》す。起接して上下を相思はしめ、陽勢を助けて壯《さふん》にし然る後事を行ふ。

（註一）塡ははまる滿は一杯にみつるなり。子後（今の夜の十二時）午前（今の正午）陰消（今の十二時）

陽長（今の正午）向レ東は陽氣の方をさす。萬事をすて只一心になる。津液を丹田へ下し夫より玉莖にはこび入る。

（註二）陰囊玉莖を併せ握る。捏住は捉ふなり。擺擊は振り弄ぶこと。我鼻息を以て女の鼻息を吸ふ。嗽はねぶるなり。

演レ戰練レ兵

初めて手を下す時は務めて慾念を遏《とゞ》め除き、先づ寬醜の爐を用ひて演習し、庶くば與に甚だ感ぜず、亦歡濃に至らざれば、尤も制御し易き也。（註一）須らく綏々《ゆるぐ》と功を用ふべし。柔入剛出三淺一深、九九八十一の數を行ひて一局となす。但し情少しく動かば即ち當に停住し掣退し只寸許を留めて心大ひに定息するをまちて復た仍《かさ》ねて前法を行ひ、次に三淺一深を用ひ、後は切に心急に性燥を忌むべし、按行半月にして純熟す。

（註一）寬はひろく醜はよからぬにて寬醜の爐さは老醜女の陰戸をいふ。初めて交合するには美好の少婦人は却てよろしからず。甚だ愉快に至らず。若し美好少婦人の好陰戸に逢ば氣忽ちもれて必ず稽古にならず老醜寬大の陰戸は氣もれ難し。

（註一）柔かく入れて強くぬき三度淺く入れて一度深く入れる。一局は一回のこと。精氣もれんとするを覺へば堪へしのびを蓄ひ發ふ。按行は稽古をいふ。

御レ勝妙術

凡そ眞美朋を得ば心必ず愛戀す、然れども交合の時强ひて憎惡をなすべし。心神を按定し玉莖を以て爐中に於て緩々《ゆるく》と往來し、或は一局、或は二三局にして氣を歛め心を定めて少頃《しばらく》して法に依り再び行ふ。彼れ微濃かに覺むるに禁《た》え難きを候《ま》ち更に濕行を加ふ、女必ず先づ泄す、其時法の如く攻取するなり。若し自ら洩れんと欲するを覺へば速に玉莖を將《と》り掣退し、行後鎖門の法を行ふ、其の氣自ら息《や》み氣定まり調匀し法に依り再び攻む。緩遲を厭はず謹んで而して之れを行ひて可なり。此の下九條は常に交互融會して之を觀るべし、始めて其の妙を得ん。

（註）濕存はうまく言ひなぐさむるをいふ。掣退は陰戸より拔き出すなり。行後鎖門の法とは所謂行つて後門を下さすといふ法にして精氣をもらさぬをいふ。

鎖ニ閉玄機一

（交は深きなり妙なり、機はからくりしかけをいふ則ち男女交合のからくりを云ふ、鎖はとざす閉はとずるにてつまり交合の時精氣をとざし泄さぬを云ふ。）

鎖門とは手を撒《はな》し黄河を過ぐるの法なり。（註一）急燥の人二十餘日の工夫を下すべし、一方能く閑性柔靜を得るもの十數日に性を閉づべきなり。功を用ふること一ケ月、金關永閉し玉戸常に腐《しき》して自在に施爲して泄漏なきもの且つ交合の時の如き玉莖緩々に進退して三淺一深、瞑《ささ》ぎ口を絨《と》ぢ但だ鼻中微く氣を引けば則ち喘《いきせ》き急がず稍泄れんと欲するを覺へば速に腰身を將《と》めて一《ひと》たび提挈し、玉莖寸許を退け動かさず氣を吸ふ、（註二）一口丹田に提上し、上向し、夾脊、脇起、尾閭、下部を夾縮し、大小便を忍んで急迫しき狀の如し、心神を按定して想を存し、夾脊の下尾閭の穴に我れ精氣ありて至寶となす、走失すべからず、隨て精氣を吸ひ一口に之れを咽《の》み少頃《しばらく》あつて勢ひ定まり前に仍り緩々と功を用ひ稍情美を覺えば又復挈退し、氣を吸ひ神を定め、夾縮存想方に泄さざるを得るなり。（註三）

（註一）交合多くは精氣を損し易し、今此法を行へば御すれども精を損する憂ひなし、猶手を放ちて黄河の大水をわたり溺沒の憂なき如し。急燥は性急なること。

（註二） 功は亦工夫。金關、玉戸皆堅固なるをいふ。鳳を倒し龍をくつがへし而して精氣もれず關固くして戸をさざす者に非れば能はず。提掣提は擧なり掣は虫なり即ち進まざること。

（註三） 氣を丹田にをさめる。尾閭骨は精氣を蓄ふ所。不レ可二走失一はみだりに漏らさすなり。

大藥編

――（口唇、雙乳、陰口）――

上を紅蓮峰と曰ふ。玉泉と名く又玉液と曰ふ、又醴泉と曰ふ。女子の舌下兩竅中にありて出づ、其の色碧くして唾精となす、男子舌を以て之を餂《てん》す、其の泉華池より湧き出す、之を嚥ひ重樓を咽下す、丹田に納めて能く五臓に灌漑し左玄關に塡す。中を雙薺峰と曰ふ。藥を蟠桃と名く、又白雪といひ又瓊漿といふ、女人の乳中にあり出づ、其の色白く其の味ひ甘美にして男子嚥ひ而して之を飲む、丹田に納りて能く脾胃を養ひ精神を益す、之を吸はゞ能く女に經脈を相通ぜしめるなり、身心舒暢し、上は華池に透し下は玄關に應ず津氣を盈溢せしむ、一采の中此を先務となす。若し未だ生產せざる女人にして乳汁なきものは之を采る更に補益あり。下を紫芝峰と曰ふ、號して虎洞と曰ふ、又玄關といふ、藥を黑鉛と名く、又日華と名く、女人の陰宮にあり其の關常に閉ぢて而して開かず、凡そ媾合に會して女の情姹媚、面赤くして聲顫ひ其の關始めに開き氣乃ち泄れ津乃ち溢る。男子玉莖を以て寸許を掣退し、交接の勢を作る、氣を受け津を吸ひ以て元陽を益し精神を養ふ、此れ三峰の藥なり。惟だ道を知るもの景に對し、情を忘る慾に在りて乃ち能く之を得る。故を以て髮白く再び黑く老を返し童に還る、長生不老なり。

（註一）　紅蓮峰は舌下兩傍紫脈上にあり左を金津となし右を玉液となす。餂レ之はうけさることなり。華池は舌下兩竅中にあり。塡二玄關一は次にある玄關とは異なり此にては只男子の工夫を說き女子にあづからざるに似たり蓋し玄關は只玄妙玄機の關をいひ猶氣海丹田と同一處なり。次にある應二玄關一は女人の陰宮にあるをいふ。姹媚は詑託に通ず託はうけがふなり故に女子が男子をうけ婉び媚るをいふ。對レ景忘レ情は久しく精氣をたもつの工夫。在レ慾乃能得レ之は色慾の場にありて能く長生の道を得るをいふ。

五字眞言

曰く存、曰く縮、曰く抽、曰く吸、曰く閉此の五つのもの開後に解明す。

存は想なり、交接の時精泄れんと欲するを覺へば速かに玉莖を將《と》り掣退し口を緘し、目を瞑し想を存し、我が夾脊の下尾穴は我が命門にあり精氣のある處我が至寶となす走失すべからず、假を交へて而して神交らず意を着すべからざるなり、法により想を存す、縱ひ泄すとも亦多からず交倦まず久しく能く之を行へば則ち泄漏することなし此れの存の字の義なり。（註一）

縮は畏縮して敢て進まざるなり。精氣泄んと欲せば速かに縮務し玉莖を掣退し提して氣を吸ひ一口直ちに丹田に上せ尾閭を脇起し、下部を夾縮して氣を下さしめず、大小便を忍ぶの状の如くし息を定め想を存して動作を得ず、少頃《しばらく》して勢ひ歇み口呼して氣を出し兩手にて女を抱き女の舌を嚥《す》ひ津を取り咽むこと五七、次に丹田へ送り下し以て再び御して倦まざるべし、蓋し初め下す時切に驟かに徑に入れ進むを忌む、大勢一發すれば以て敵を制し難し、もし或は強閉せば敗精して散せず反て他疾を生ず、おほむね頻りに提し頻りに掣し慾を縱にするに至らざれば則ち制御し易し此れ縮の字の義なり。存縮二字の工夫並び行へば先なく後なし、此れ男子精を閉すの法なり。（註二）

抽とは採取するなり、交嬉の時、女獻娛するごときは必ず氣喘《あへ》ぎ蹙蹶《わなゝ》き男子當に口を緘し、綏々に柔進剛退して燥急にすべからず、深きは只半步ばかりならしめ鼻を以て女の鼻氣を引き之を吸ひ腹に入れ、口を吸ふべからず、吸へば則ち腦を傷く、一吸一抽所謂上共の氣を吸ひ下共の津を吸ふなり、少頃して其の氣上下相應じ陽物自然に堅《た》硬にして稍禁へ難きを覺へば、速かに掣退すこと、法により之を存想し、走泄なきを庶ふ、此れ抽の字の義なり。（註三）

吸は翕入なり、女人既に泄らす男子當に玉莖を掣退すれば寸許にして半交接の勢を作る、上鼻氣を吸ひ、下滑津を吸ふ、蓋し鼻を天門となし、下を命門となす、天門は上元に居り命門は下元に居る、虛柯一時水火を吸ひ取り到る能はず當に鼻を以て同じく天門を吸ふなり。一抽一吸上下相應じ、竹管水を引き逆流し而して上る如き能く此の術により大に精を益し陽を補ひ自ら困然として久しく行へば則ち損す、抽中吸ふあり二字並び行はる乃ち女人既に泄らす男其の津を采るの法なり。（註四）

閉は口を緘し合するなり。交戰の時當に目を瞑すべし、口を緘し氣を閉ぢ而して出さしめず。但し鼻を以て微々と導引し相應じ自ら喘を致さず、若し緘閉せざれば則ち人門は天門に通じ命門腎府に通ず天固からずして元陽に上走すれば、精氣必ず下よりして而して泄るなり、若し人門固閉すれば腦氣腎宮に下降し瓊漿に流入し、上下周流し、精氣化合し、永く泄ることなし、此れ閉の字の義なり。（註五）閉の字四字の中に於て制し、初め交る便《すなは》ち立しく息を定めて氣を緘すべし、終に至り失を致すべからず、則ち閉字の一義四字と工夫並行す、仙歌に曰く、女人興窮りなし、先づ情意を濃かならしむ、情意濃かに方に與に戰ふ上將功を成す、蓋し交合せんと欲す先づ鼎を將つて握抱し雙乳を摩弄し唇舌唾をひ彼に興動かしめ、後方に陽を陰納し、綏々と交合し、九九の數を行ひ、目を合せ口を緘ぢ頻々に提掣すれば金鎗倒れず、此れ先づ下峰を采るなり。下を采る既に濃かに女氣發舒し而して上は中峰に應ずるなり、中采既に濃かに女氣又發揚し峰に透る、吾れ舌を縦にし、彼が舌下に干して其の兩竅を攪し、其の津を吸ひ而して咽む再三上峰を采るなり、上を采る既に已に女必ず歡極まり陰中眞氣方に泄る、乃ち虚柄を以て寸許を退く、身を跨かし龜の氣を提する如く、一口直ちに丹田に上せ彼が氣を容れ、而して彼が津を吸ひ、搬運周流し而して後三采全し。而して女人も亦上下通快し氣脉通暢す。後亦吁氣一二口女をして吸ひ而して之を嚥ましめて以て神氣を安んず、蓋し此の術彼が既に泄の眞を取り我れ泄らさざるの精に還へすに過ぎず、彼に在つて甚だ損せず我に在つて大ひに益あり、陰陽相得、水火既濟生を御するの妙用なり。（註六）

（註一）命門は命の根元、走失は漫りに泄さざるをいふ。久しく保つの工夫、意を着すれば神交るなり。

（註二）　吁は噓と同じ氣の出ろに喩ふ。大勢一發とは一時に精氣を泄すをいふ。敵は女子をさす。强閉敗精は强いて精を閉せば其の精腐敗するなり。

（註三）　歡娯はよろこびなり。

（註四）　翕は合なり又あつむるなり。虛柯は一交接して後の一物をいふ木の中虛の枝に喩ふ。天門は女の鼻なり。

（註五）　腎府は即ち腎にして命門前に見えたり。元陽瑶臺皆道家の字、元精の集ろ處なり。

（註六）　鼎は女陰をさす。下峰は前述に所謂紫芝峰、女人陰中にあり。中峰は前述に所謂雙薺峰即ち瑶醬なるもの、女人陰中にあり。撹は亂なり。提とは氣を保つをいふ。搬は移すなり。

搬　運　有　時

搬運は移しはこぶ義にして男子精を泄すに其の時有りを云ふなり。

女人泄すときは必ず氣喘ぎ聲顫く等、狀の驗あり、此の際當に氣を寧《やす》んじて女子を抱定し、玉泉を上る、中蟠桃を采り、下月華を采る、煉て而して之れを得て搬運す。尾閭逆上し兩道白脉するに從ひ夾脊を串し、崑崙を透き、泥に入る、口に流注し、化して瑶醬となる、重樓に咽下し、直ちに丹田に至る名けて黃河逆流といふ、能く精を塡し、髓を補ひ、壽を益し、年を延べ其の訣あり氣を提して氣を咽み、想を穴道に存し、所謂神到れば則ち氣到り氣到れば則ち精到ると是れなり。

完撰

末摘花

【全句三千四百五十一】

――末摘花第六篇までの總決算です。今迄、巷間に翻刻されたものゝうち、若し一句でも此の輯錄中に洩れたものがあれば御知らせ下さい。恐らく一句もあるまいと確信いたしては居りますが――第七、八篇は次號に。(編者)

第一編

誹風柳樽は川叟の滑稽にして呉陵軒の集冊也。往年續て當時其十一篇を出せり。予其卷々にもれし戀句を人しらずこそ竊《こそ》々とものし侍るに終《つい》に跋《はつ》と世上へ末摘花とは名の立事になりけらし。

安永五年申豐秋

蛤は初手赤貝は夜中なり

（蛤は婚禮の吸物也）

若旦那夜は拜ンで晝叱り

ぜんたいが過ぎると話す藥取

引ずりの癖に早いは尻ばかり

下女の尻つめれば糠の手でおどし

煎藥を頂けば下女ついと逃げ

今風はすてつぺんから寄掛り

寐たふりで夫にさわる公事だくみ

かつがれた夜はぶつかけを二ツ喰ひ

（二人の男に強姦されたのである）

片月見せないものだと下女へ這い

（明月を見て後の月見せぬこと遊里にては特にこれを忌む）

和尚様善女人だと可愛がり

掛《かゝ》り端《は》もなく踊り子ははらむなり

後家の下女鵜の眞似をして追《を》ン出され

客儀を云ふと腎虚と呑み込まれ

おつけ澤山な御《ご》さいそびき出し

ソウむごく云はぬものだとにじり寄り

麥畑手きねほどなでこづくなり

ドノ客がづばらませたと遣手云ひ

十六で娘は道具揃ひなり

（諺「十三ぱつかり毛十六」）

小便をすわつて仕ろと女衒云ひ

錢が無ヵよしなと路地へ突き出され

はなぐれの怖いあまだと根津で云ひ

入ゝそうにするともしへと産婦呼ぶ

腮の名にお花お千代はきつい事

氣の毒と云ひ〳〵させた跡をさせ

よしなよと下女おはぐろの肱で突き

鬱日中おやして亭主叱られる

立聞が吹き出したので下女させず

女房に茶臼引かせりや引ッ外《はづ》し

相撲下女いとし殿御《とのご》が五六人

（相撲好色女の代名詞）

不届な女房へのこを二本持ち

おまへよく下女をと跡のむづかしさ

はらゝでも己《お》ゝは知らぬとむごい奴

乗せて居て下女は二タ聲返事する

やく座頭杖をころして歸るなり

兎角まだおへますかなと七を取り（腎虚）

山姥はゑゝ年をしておッぱじめ

冷飯《ひやめし》とおへるに困る一人者

なまおへなのをすッぱめる五十ぞう

（五十ぞうさは銅銭五十文の淫賣三田、本郷、谷中に住す）

いらぬ事女房石にてさねをぶち

（湯屋の毛切石は拳大の石二つを以て陰毛を叩き切るのである）

かわらけはサッパリとした片輪なり

至極承知でも女は辭義をする

なごい奴はづみきつたを拂ひのけ
旦那でもさせおろうとは餘りなり
行く程で仕ない馬鹿がと女房云ひ
餅搗の宵に女房に叱られる
（望月なり。十六日交合禁忌の日）
能書《のうがき》にひりつくべしは何事ぞ
（四ッ目屋の藥なるべし長命丸の能書）
マダ伸びもせぬにモウ來る麥畑け
不屆さ池へ響けるよがり聲
鬼の面かぶつて乳母はさせて居る
長局くたびれ足へくゝし付け（張形）
紙燭して見たを新造くやしがり
裏表下女二ヶ晩にねだり出し

切店はいた〳〵しいも出して置き
五十ぞう大根を持つて追ッて出る
チョッ〳〵と仕てくんなよと相撲云ひ
ほんとうに仕て呉れなよと悲しさう
内濟でいけまじ〳〵と女房居る
出合茶屋あんまり泣て下り兼る
いせ原を置いたで店がらんがしい
（伊勢原は厚木と共に相模の地名）
お見立と呼ばると濕《し》瘡《つ》を搔き止める
一番でもう置くのかと相撲云ひ
手のくぼな二三度させて無心なり
湯加減を握つてみなと長局（張形）
張形が出て母親をまた泣かせ

せいろうの中でおやすの不届きさ
（生島新五郎）

なぜ割ッつしやつたとにぢる守《もり》が宿

はへ際《きは》を限りに針隣なで下ろし

仕《し》殺して檢視を受ける恥かしさ

口說く間がなくて理不盡つかまつり

すばらんで居ますとにぢる下女が宿

かなッ切ッ聲で廊下でくじられる

「クジル」は眞言立川流の術語たる九次を切るの法から轉じるものか（齋藤昌三性的神の三千年參照）

居間に置く内は和尚も氣儘なり

門院を仕たと讒奏しちらかし
（建禮門院）

ヌッと入れまず拔て見る伊勢の留守
（伊勢參りの留守に間男するさ拔けぬこの言ひ傳ひあり）

屁を放ッて妾は下女に一歩やり

大味になつてお茶《ちや》の間縁《え》に付き

乳ッ首をひねるが座頭始めなり

お腰元おかぶとでならいやと云ふ
（兜形。張形の一部分の如き物にて張形と同じくベッコッ又は水牛の角にて造りし閨中の淫具。四ッ目屋の七ッ道具の一種。子を孕まぬための道具）

陰間《かげま》屋が無いと出合屋まだ流行り

色ばゝしみしんじつに可愛がり

己ッがのは小さいと守口說かれる

弱腰を叩いて姿何か出し　（りんの玉）

忍ゝ年で初《はつ》ごと云ふは御殿もの

大部屋へとや出の鷹を連れて来る

七日の夜よかつた事が忘られず

（玄宗揚貴妃長恨歌）

温《あつた》めてくんなは仕ろと云ふの也

大味でおらうと與市覺悟する

（阿佐利與市板額）

後家へ出す蔭間一本づかひなり

鵜菊を仕て間ィもなくうたれたり

（曾我夜討、木瀬川の龜鶴の誤り）

下女が色餘年さくらさめかする

冴えぬ夜は女房とぐろを巻て寝る

悪る口を云ひなさるなとちぢれ髪

（ちゞれ髪の女は閨中の味よしとの言傳ひ）

緩《ゆる》いのをするのが和尚済度なり

もくぞうの生ゝて働く長局　（張形）

てん〳〵に魔術行ふ長局

しんこうに連れて行く下女はいゝこさなり

物思ひ下女親椀へ汁を盛り

傾異利詰きて座頭におさへられ

して居たに違ひはないと御川云ひ

御隠居と腰元山で色をする

疱瘡の女房仕たがる神事さ

生《は》へ過ぎたのが花嫁も氣の毒さ

女房の縦耳へ下女のよがり聲

しくじつて二十里上へ下女歸り
おきて居れと叱るは宵にさせぬ下女
早く仕て來いよと路次に立て居る
持參金來た晩に仕たまんまなり
花嫁のよがるは出來た事でなし
八九人ベイ來ましたと下女は泣き
旅の留守内へもごまのはいが付き
池で鳴《な》くやうだと二八ッ首を上げ
（池の端の出合茶屋）
膀倉の吟味をとげる月見前　（月經）
田舎道あかねと淺黄まくり合ひ
手を取ると下女鼻息を荒くする
圍爐裏にて口說き落して麥の中

小間物屋御不幸以後に一本賣り　（張形）
どこへでも行き度と云ふケチな面《つら》
見かぢられたのでだきもり寄り付かず
代でとりや首も手柄な物でなし
後家の供庫裡でゆすつて酒をのみ
のべの紙栓にかうのが仕舞なり
瞽女の供道でたれると覗くなり
割ッたなと所化衆に吉三なぶられる
乘りかけで能くぬれて來たざいご嫁
痛い事ないと娘を口說くなり
めゝつこが出ると二位どのおッかくし
（十一、二、三までの女の子の開）
地女の跡は駄蝋をとぼすやう

部屋方の兄弟分はたがいせん
（奥女中の張形使用兒女開《メメツテウ》「倭國訓蒙圖繪」）

金玉とさねの間にふどう尊
やきかけてしらな女房にいぢめられ
下女が夜着借りて亭主にあやまらせ
ざいご下女銚子比目魚の味がする
乳母が前《まへ》もくぞう蟹の如くなり
御守殿にサァさせようとにぢられる
生ム時はどうするものと我慢させ
けしからぬ悋氣頭へ判を捺し
中條のなすを見るのはまんがまれ
女客蔭間をゑらい目にあはせ

痛いわァどう仕めさると田舎嫁
戸立《とたて》とはサテ用心の能い圖なり
（戸立變形女陰、兩方の螺肉ふさりて左まへに合て玉門に戸をたてたるが如し「枕文庫」）
またかへと女房は笑ひ／＼寄り
雪隱で手づな捌をする女
（月經中越中褌の如きものをしめたり）
温めてくんなと足をぶッからみ
むみやう圓つける夜這は不首尾なり
（無名異にて外傷に塗布する癒藥）
湯灌場のきわならいやと圍ィ云ひ
〆たなと湯屋で久松なぶられる
りんの玉芋を洗ふが如くなり

お局は遣ふに肌がめくれ込み
あてがつておつけ出すがてんや者
四十八ひだとはよくも數ぞえたり
（「阿奈遠加志」に肛門のひだめは四十八本あるよしふるくいひ傳へたれど云々）
膀ぐらをひッぱたけるが亭主まけ
下女が色湯屋へも四五度連れて行き
七日ばかなんのこつたと女房云ひ
（月經）
長局一ヶ女にへのこ一本づゝ
出合茶屋へのこの有《だ》ッ丈けはする
モウ仕てはやらぬと下女はおどされる

下女星が夜這に當りはらむなり
おへたとて入聟めつたにはならず
はらんだと聞き一人逃げ二人逃げ
鼻の高いが大山の留守へ來る
（相州の大山石尊・江戸の者毎年參詣せし）
藍寢下女大根抜いてどいつめだ
濁しても女房十六夜《いざよい》にはさせず
開男と亭主抜身と抜身なり
仲條で鼻を鳴らして叱られる
渓齋英泉著「春情指人形」に曰く
仲條流の女醫者、月水流しな呼び寄せて、扨て内實はかう／＼さ穩便の療治を頼めば、女醫者は即座の請合、私方へお出にて、差藥ばかりでは、藥をさして血の道の秘藥一服そへて上げるお定りが金一分と二百、又一ト廻り御逗留で療治なされば、さし藥から煎藥を一ト廻り分、雜用買物おせわ申す下女への御祝儀、産れたお子を寺へ遣り戒名まで付けさせて、身にも乳にもさはりなく、常のからだにして上げて、一兩三分が定値段なれども此方へ參つては又並には些《ちと》まいらぬと申す譯は孃樣は初めての御療治、殊に大切な御身のうへ、療治の仕方を打明けておはなし申さにや判りませぬ、藥を差すさて只其藥を差したばかりでは、きゝ方に高下がある、先づ二三日此方へ參りお孃さまに世間咄しを致しながら、枕繪なんごお目にかけ、おかしな氣持ちの所へ、指でサネを撥つて子宮の開いた時分藥を入れねば効能がないとしやくり立てたる女醫者が說方……

むごい事下女仕ては退き〳〵（輪姦）

羅切して又ドッになる長局

（張形を腰につけて男の代用をするなり）

二人とも帶を任やれと大屋云ひ

よがるのを合圖と夫婦だんじ合ひ

（美人局）

睒ぐらへ蛙を放つとんだ事

（陰門中に蛇が入込んだなり、蜀山人の

一話一言「續南方隨筆」參照）

榮耀のうわもり八のこへ味をつけ

サテ味も變らぬものと保名云ひ（葛の葉）

蚊帳一頭でも夜道にはきつい邪摩

誰《だ》が廣くしたと女房は云ひ込める

かんぞうと蛸と出合ッて震動し

間男の不首尾は零《こぼ》し／＼逃げ

ゆがゝぬを食ッて見たがる長局

御ことをよく探ぐらせる茶屋女房

（昔楼《ツトノ》夜花《ヨザクラ》玉に玉門《オシコト》さあり）

上下の眞ッ黒になる線遠さ

眠むい下女されたも夢中作左衛門

おやしたと知れぬで女罪深し

相方《あひかた》の無いは踵《かゝと》で骨を折り

（一人で張形を使ふなるべし）

お妾はくはへて引くが蔭し樂

そゝらずと寄ていきなとたれて居る

毛を抜かばいやと踊り子探ぐらせる

張形が無いと仲條まだ流行り

ふとつちやう小原に三ッ程は出し

（小原器物の名）

死にますの聲に末期《まつご》の水をのみ

「長命丸の能書に曰く」

「此薬用ひやう、おかさんと思ふ一時まへに、つばにてとき、かしらよりもさまでよく塗るべし、その時ひり／＼とすべし、驚くべからず、交る前に玉ぐき温かになり申し候、其時に湯か茶かまたは小便にて洗ひ落し女と交るべし（中略）

此薬用ひて妙は玉くき温かにして太さ常にまさり勢ひつよくして淫精もるゝ事なく心まかせなるべし、いか程つゝしむ女又は遊女にても覚えず息あらく聲をあげ腎水ながれ喜ぶ事かぎりなくて、男を思ふこゝさしよるまで忘るゝことなし、も

し男氣をやらんと思ふ時は、湯か水か又はつばにても呑むべし、そのもろゝここ妙なり云々

拔けぬぞと女房を嚇《おど》し伊勢へ立ち

大黒と呼ぶのは釋迦も知らぬ智慧

腎ぐらをすぼめて扶持をねだるなり

内濟をしてだき守《もり》を外科にかけ

誰《だ》れが來るものだと下女は口說かれる

芋掘と云つたと色は大口說《おほくぜつ》

なご盛《も》つたやうになる迄緣遠さ

（なごこ、などのり、海草狀亂髮の如くにして長さ一二尺、黑くして脊味あり）

水の樣にさせて女房はふてるなり

女にはいつそ目のある座頭の坊

ひたい口燒ても同じおとみなり

（多産の女の異名、子を産ますため灸をすゑるなり）

長局たつた四五寸不足なり

新造は知ッたが一ッ寢て一ッ

此の佛樣もお好《すき》と土手で云ひ

（千住の燒場への途中）

サッ遊びなさいとせつく五十ぞう

口說く内一厘五毛むだを出し

拔く時に舌打《したうち》をする大年增

新五郎初手は女護の島へ行き

後ろから仕なとは餘程月《ひ》ッ迫し

目開き迄も濟ゝでの茶臼なり

越前は一本もない長局

（越前とは包茎のこと、越前福井藩の槍の袋が包茎に似たりとて云ひ始めしなりと）

口説かれて瞽女はぶつならいやと云ひ

ぶたれたか瞽女は泣き〳〵拭て居る

かわらけもまゝあるものと湯番云ひ

業平はめくれ込むのをやつと入れ

膀火して寢る程おちよ買こなし

（おちよ、お千代船、水上賣笑婦）

しいをやる時に侍ィ見たと云ふ

宮參り時分願つて叱られる

なぜ腎虚させたと姑嫁をにぢ

すつぱりと這《は》ハせて置て内儀起き

出合茶屋惚れた方から拂する

毛切レ以後お妾へ許《は》カ入らッしやり

澤庵を握つて下女はされて居る

猿轡はめてと子守泣て居る

愛想にするとは憎いよがり泣き

丸のゝ字尻でかゝせる面白さ

草臥れた夫婦の側に四ッ目結ひ

（四ッ目屋藥長命丸）

針箱の代りサネ蛸持參なり

くさづりをたゝんで下女はつゝッかれ

さい日の客切り店《みせ》でぐづろべい

あまッ子を未練の無いが買に來る

ういくゝ數もまたぐらをおッぱたけ

睾丸の用心をする朝歸り
はさむによつてみす紙と名付たり
アィ轡蟲さと乳母は乖れて居る
理不盡に蘡子のまたへ手を入れる
胎内である夜赤子はけつをされ
褌を外す所へ亭主來る
撰り屑を並べて叱るどやのかゝ
ふんだんであらうと叩くふとつてう
長局うわばみなどを鵜呑みなり
中納言名ある女性を二人ッしめ
（在原行平、松風、村雨）
下女何を聞いたかあくる晩させず
鼻息の出る時抜いて喰《く》ひ付かれ

岡場所は後の役《やく》までさせる所《とこ》
花嫁はかくも尻はかゝぬなり
そこかいてとはいやらしい夫婦中
帆柱の立ッたをねかす船びくに
女房のすねたは足を繩にない
よしャいと前を合ハせるおちやッぴい
人間のたけり迄ある小間物屋
（張形「たけり」は膃肭獣の陰莖を稱す）
またぐらをかぐやうにして髮をすき
はなくたな下女おひやぐろが出ぬと云ふ
何ものか山姥をまァ蟲のよさ
困果だてしい／＼内儀はらむなり
夜蕎麥賣いつの間にやら子を出かし

閨ゝに地獄は無いと實を云ひ
屋根ぶきの出したで騒ぐ長局
出合茶屋忍が岡には尤な
出合茶屋小便に下りしゝに下り
ものなりを納めぬゐおり大一座
御存事のやきてと内儀勝て迯げ
若後家をすゝめて和尚法に入れ
もみながら足にぢくねて御意に入り
お妾の乙な病は寝小便
化物で度〳〵乳母はりくつする
茶臼とは美食ㇰの上の道具なり
此頃はとほうも無いと叩く尻
女房はなんぞの時を待つて居る

しんみりとするが地ものゝ有難さ
麥畑ざわ〳〵〳〵と二人迯げ
地女は唐人ほどの口のはた
小侍キャンなはしたにかぶせられ
ひたいぎわ四五本引ィて痛《いた》がらせ
眠むい下女車掛りを夢のやう
（數人の男が熟睡せる女を輪姦するなり）
よし町で牛蒡を洗ふ女客
（諺、据風呂で牛蒡を洗ふ）
乳母此處《こゝ》は何んだと足で毛を撫る
瞽女と色慾にかゝつて餅につき
臍《へ》ッきりとん出して居る田舍乳母
病上り女房はまたをひッかゝれ

へび女來る彼岸まで休みなり
色男何處《どこ》でしよつたか飛び虱
鼈甲を下界へ落す長局　（張形）
陰に閉じ陽に開いて茶臼なり
させる外相撲惡る氣の無い女
十二文程の氣嫌でけころ出る
（十二文、粗酒の値）
賓溜が無くばおうせいでも置きな
仕殺したなどゝ後添怖がらせ
仲條でたび〳〵おろす陰間の子
女房にいま〳〵しくも惚れられる
承知せぬ夜着を是れよや〳〵と引き
しな玉のやうに傾城丸め込み

おへきつたのをさしつけて口說く也
切レ文《ぶみ》の中へへのこを書てやり
入聟のかなしさいやな晩もする
よしと云ふまで來まいぞと乳母はさせ
すきかへし二枚で拭いて五十とり
越前の住はへのこの下作なり
おりよ買てくれさッしやいと輕井澤
戀の闇とは火を消してするのなり
旅戻り思ひなしかは廣くなり
おもだつた逮夜計りを女房よけ
客分と云ふ內息子でかくする
もちやすびの樣《やう》に新造させるなり
名玉《めいぎよく》は尻をたゝくと轉ろげ出る

越前はつるの出そうなへのこなり
張形で在《ゐなか》が如く後家よがり
する内は葛満刀で二度切られ
ねぶからう寝なよと女房させぬなり
はゞたりの無い下女たつた二人持ち
出《で》合《あひ》する所《とこ》を白鳥のろり見る

（池の端出合茶屋）

粟餅の外に亭主へいゝ土産

（目黒不動のお土産の粟餅）

慾徳じやござりやせんと下女させず
入婿は間男迄にあなどられ
生ヶて置く奴では無いと五兩取り
嫁の身になつて嬉しい腎虚なり

あくた川麦畑までしよつて行く

（業平、二條后）

味のよさそうなをせなヶ乗せて來る
不承知な下女澤庵でくらわせる
ぬく事はいやさと女房かきわける（毛）
剃ゝて居るものをお袋浮襲ながり
後家の世話仕過ぎて大屋うたがはれ
間男を切ゝろと亭主惚れて居る
常盤めを此れでと長田握りつめ

（源義朝）

度々《どど》たれに出る切店はすごい奴
仕て居たを見た朝姑大怒り
仲條で本の覺悟の前へを出し

くらやみへ牛を引込む長局　（張形）

憎らしい日だと前をよく合はせ

歌加留多などに事寄せなめたがり

たんとした奴がめどだと下女が宿

恐ろしい下女こんた衆にやいやと云ふ

歸《き》洛《らく》し・ので腎虛せぬ中納言

わたしらが內は佛とやたらさせ

股ぐらへ首ごと這入る女醫者

間男を麥藁笛でくらわせる

（大山詣りの歸りで土産の麥藁笛を持つてゐたのである）

お身《み》達《たち》は氣が行かぬかと淺黃裏

（勤番武士）

こんにやくでなめるは男不心中

（壻の代用「昨日は今日の物語」の中に笑話あり）

亭主への土産粟餅程にねれ

尻からはいやと持參を鼻にかけ

湯灌場の笑ひ腎虛で死っだ奴

家督公事腎虛させたが組手なり

緣入りをば取るなと孔子のたまはく

みす紙でむごく握ッてついとこき

かたい下女むしつてやれと男ども

浮氣なら否《いや》さと下女はぬかしたり

いかいろはでの口說木菟《づく》入《にふ》呼ばりする

（木菟入は僧侶の異名）

淋病の藥朱雜字の樣になり
（「淋病の藥馬にも乘つて見ろ」馬は月經の異名）
間男を連れて相撲へ逃げて行く
（松ヶ岡の緣切寺「東慶寺」）
腎虚にて死ッだを嫁は苦勞がり
義經は母をされたで娘をし（延禮門院）
やく女房牛玉を飲めと下女をせめ
女房の機嫌を取つて攀《よ》ぢ登り
小娘を頭ばかりと口說くなり
二三日間がありや相撲恨み侘《わ》び
裸體にて火洞の症は追ッかける
引きつけた樣な目つきで下女よがり
水牛は男賢《きか》しく賓りはぐり

鹽梅は下女のがよいでやかましい
カッ〳〵の啼くにとつくみやつて居る
仕《し》にばかり行くと女房は思ふなり
するだいのきぞうくわいぶん失しなはせ
五六本生へてめりやすうまくなり
婚禮は親も娘もいたい事
長局よがつた跡の馬鹿らしさ
くじられた蓐は宿下りうろ覺え
四ッ目屋の効能喚《おめ》き叫ぶなり
友なりはふだん芋幹《ずいき》を袋てする
（謠曲「高砂」）
不承知な下女十本でおッぷさぎ
これ《し》からは何處《どこ》ですべいと麥を刈り

誰レが來るものだと十能ねぢり合ひ
けしからぬよがり隣りで憤り
でけいからやッだと姿を踏みちらし
日暮から闇レへ來る夜入道
行ッ廻りかん廻り來る出來た奴
おふやうなお子だと乳母は二番させ
しりみやは洗つて見たと女衒云ひ
百夜目は三もくもおす氣で通ひ
（深草少將小野小町へ九十九日通ふ）
足音のたんびに腰をつかい止め
客さまなぞべらッしやいと輕井澤
女房の毛は十六で生へたまゝ
股ぐらを娘のかくの憎らしさ

紅ゥ薬をするとへのこはひだるがり　（月經）
外を防ぐと飯焚へ手をつける
ねじ薬をかへと四五人おやしかけ
嬉しがる奴だと文《ぶん》でくらわせる
おへきるとあをいだ樣にぎんが出る
げん能ッで割るとは奕女のおんづまり
（玉藻の前）
茶臼では無くて白酒臼のやう
鼎嬖で仕逃げ〳〵と追ッ駈る
はら〻だで下女は死物狂ひなり
鮑取り海鼠のくゞる心地《ここち》よさ
おッ付けた許りで留守居二分取られ
萬乘の主《ある》じへのこに事を缺き　（孝謙帝）

がたい奥さて張形はよく賣れる
我慢にもおへず釋たゞ取られ
錢びらで路次番までが顔を知り
みす紙はふくの小菊はやるのなり
（小菊、遊里にて紙花として一枚一分
に通用す一帖四十八枚）
小間物屋スボ〳〵させて一本賣り（張形）
水牛で仕たのは疵にならぬなり
窓覗入して居て母ははじめさせ
させた乳母たがハ〳〵と乳を吞ませ
やりふすま程に取卷く下女が部屋
拜むからよやと裸體で木の如し
入聟は聞かずに拔いて叱られる

股倉を等閑《なほざり》にする新造ッ子
里歸り迄われぬのは不首尾なり
持參金わたしや初ッは知れた事
後難を避けんが爲めに贅女をぶち
入ゝそうにすると清玄首を出し
あつかいで村間男は五俵出し
もう然ゝにしなとは夜聰むごい奴
やみの下女よい〳〵で行くむごい事
伊勢よりも鹿島の留守は拔けねばつ
女房の股まで明ける猿轡
モウ泣きはせぬからよやと女房云ひ
ぬれて來て七番になる六あみだ
早く仕て仕舞ひなと下女ヒンまくり

股倉へ四たびまくつて百になり
（夜鷹二十四文、九十六文を百に計ふ）
腰抜の下女お白洲で五人指《さ》し（輪姦）
業平は高位高官下女小あま
ぎう／＼とさせない度に呼びたてる
究屈な買物をする長局（張形）
飛び乱づくを一ト度《たび》出家させ
一ッとらせてから文を書き初め
花嫁はひだるい腹へ乗せるなり

第二編

年々の末番の中より句中の戀のおかしみを書ぬき見れば、美婦より夜食膳をすへらるゝこゝちもありや又大尾の戀句は名古屋木綿の情のたつふりしたるを拾ひあへ交にして末摘花の後篇とはなしぬ。

あさくさ
似　實　軒　著

初会には器《うつわ》を貸すと思ふなり
越中を女房がすると事が欠け　（月経）
木挽小屋ぢやならぬとぎう断はられ
悲しさは昔しは帯へ挟さんだり　（老年）
秋がわき抜くより早く出合しい
（夏去り秋来り色慾盛んになるた秋がわきさと云ふ）
蛍見れば夜遊律義な男なり
盗人《ぬすびと》の子も出来やうと姑云ひ
（庚申の夜に孕んだ子は盗人になるさいふ、申は手が長いと云ふより来たらしい、死に角庚申の夜は慎むべきものさしてあつた）
門ッ口屁をつけて夜遊は餅につき
帆柱の傍で新造舟を漕ぎ

大きくも有ろうかと嫁苦労がり
中納言もそつと居ると腰が抜け
二百年このかたせぬと宿禰云ひ
又内でせにやァ済まぬと朝帰り
一疋の相撲に雌《めす》が五六疋
流行医者して居る所《とこ》を起される
七ッ口男をおいしそうに見る
（七ツ口大奥の出入口の一、奥女中宿下りの節などの出入口）
御部屋で縮緬とおひへまくり合ひ
継の間下女は小声で此処《こゝ》だわナ
むすがゆく乳母は二才にさせて居る
押へたは越前なりと湯番云ひ

させたからだまりなんしとむごい奴

くじる外能ィ智恵の出ぬ切落し
（芝居の土間）

鎚でゝも突かれる様に嫁案じ

する事が厭やなら出ヶに聟困り

今川は尻《けつ》をいましめぬで亡び

させろとはあんまり俗な口説きやう

湯へ行けと女房不性《しやう》に不潔《きたな》がり

下帯を自身洗つてやかましさ　（月經）

女房はにぢりあかりに茶臼ひく

夜番麥賃仕て出て跡で二ッ賣り

手廻しなせぬとしはぐる新枕

下女が色あそこの隅じやごうそごそ

泣きながらした跡を拭く小字紙

章魚と麩を出してもてなす出合茶屋
（章魚女麩男）

行平が歸ると地下のものにさせ
（阿保親王の第四子在原權中將業平の兄勅勘を蒙り須磨の里へ配流せらる）

五六人娘につきに付て居る

お氣に入る筈上開の仙女なり
（徳川九代將軍家重がお仙と云ふ女をお萬の方よりも氣に入つた事を指す）

時候たがへず十六の密は生え

いつ己ゝにさせたと下女とたゝき合

ふみぬいて入聟おへたのを見せる

一番で堪忍《かんにん》しなと口を留め

めゝつこが出ると二位殿《どの》おッ隠し
ぬか袋頬張つて下女腰が抜け
松茸でおごとむきみを掻き廻し
せんずりを國常立《くにとこたち》の命かき
色男好物《こうぶつ》ものでせめられる
ちゞれ髮ものみがゝりがふみをつけ
大きいで嫁入知らぬ難義なり
けすぢかいへのこ家中の難義なり
せんずりはかゝれませぬと揚屋見せ
おしい事まくる所を下女呼ばれ
およしなとひたい際《きわ》にてとらまへる
よし町の翌日張形の大味さ
木の樣《やう》にして拜むわな〳〵

生《き》娘《むすめ》のおかげで下女は責《せ》めに逢ひ
三度目は卞和《べんくわ》へのこをすでの事
ふてへ下女一番すると何ぞくれ
湯上りの味は古語にも賞めてあり
(湯ぼゞ、酒まら)
いぼ付《つき》はきらしましたと小間物屋
初手二番程は二階が抜ける樣
へのこにて内の昇殿《しやうでん》許《ゆる》される　(道鏡)
物な言はせぞ亂れ入る下女が部屋
ふんだんにした癖が後家止まぬなり
流《は》行《や》る湯屋やたらへのこを頬張らせ
上反《うわぞり》は直《ね》が張りますと小間物屋
口迄は吸つたが邪魔の多い内

神樂堂太皷や笛で味をつけ
かし元ヽのずるい妃《きさき》は二條なり
げた／＼と笑ふを亭主腹へ乘せ
どく／＼しいを乳母出して豊寢なり
目ざましきよがり隣りで憤り
後家と坊さまこち／＼とした同士
した晩はまけるものよとどやの嬶《かゝ》
やらかして居るよと觸れる樽拾
張形へいつそ吸ひ付くおしい事
穴も無い癖に小町は戀歌なり
張形は勘三をこなし／＼賣り
刀背《むね》打《うち》を臍へ喰はして叱られる
牡丹餅をなぜしたと下女大口《おほく》説《ぜつ》

拔ける迄置けば女房も氣嫌なり
閨ィものドカ喰したりかつへたり
仕たいときや何時《いつ》でも云へと下女に云ふ
おしい事義實外科にかける所
（小野小町の父）
女生醉させたがるぶんの事
幽王のした跡をする鳥羽の院（玉藻ノ前）
かんのよい瞽女間男を持て居る
じつとして居なとぬき手で紙を取り
脇ぐらの裾分をするにくい事
見せた外科見ると內儀は逃るなり
勞咳のぞやみやつたらうつく也
尻《けつ》をされますと德利を取て來ず

耳に目當《あて》てはしいる出合茶屋

おつけ澤山がどや／＼鬼子母神

（奥女中毎年十月のお命講には雑司ヶ谷へ參詣す）

御前《ごぜん》まで歩るかれるかと下女が縮

馬鹿らしい病氣女を見るも毒 （腎虚）

アノ嫁は毛澤山だと湯汲云ひ

父《とゝ》ッ様《さま》はよし《美》さね《實》だのにおしい事

いもじをぐつと捲くりなと女醫者

殿樣がして居たと云ふ小侍

しどくされぞんにはさせぬ下女が縮

ごつそりとしても間男ひッこ抜き

馬鹿な事おへたを猫が狙《ねら》つてる

細工場がとんだ頃いと根津の客

座興でも入れたが始終落度なり

隣では二番濟んだにかいて居る

せんずりをかいてる所へ敕使來る （道鏡）

もし腰をつかへば藥毒となり （淋病）

寒日にけころをかつてひだるがり

勝介を尊《とうと》く見せる緋縮緬

酒買て尻をされるは樽拾

孕《はらま》せて置てとわめく餅飾り

付文《つけぶみ》はへのこの形《なり》に結ぶ也

新五郎汁澤山に困るなり

（江島三十三才）

渡場で練《ね》れきつたのを捕まへる

苦しがる下女を四五番して助け
夜廻でも職過ぎやすと聟云はれ
し放《な》しは御無禮様《さま》と下女が宿
止めるなよ佛が來るといろは茶屋
押込むとくわッと見開き瞽女《ごぜ》よがり
して見たが章魚だと女衒氣張る也
無理にされましたじや女房濟ぬ也
お妾の勤功《きんこう》矢鱈はらむなり
こゝのお兄《あに》が野良でと聯來る
必ず隣ありと小腰につかい
サアへのこ請けと桃へ上げて攻め
（おはぐろ塗にはるためなるべし）
間男をしたのを見たと口說くなり

なぜ祉だんでさせたと乳母口走り
持ちや遊にせずとしなよと新造云ひ
氣の弱い下女アレにさせコレにさせ
ちんぼこめらと公卿を嘲弄す
へのこ有りそうには公家來見へぬなり
むごい事新造めくら突きにされ
新造は中折れがして持て餘し
（老年の密なるべし）
生へて居やすよと手ぶしを叩き退け
後家の生酔させそうで〳〵
少しひりつくを承知で淺黄する
耳の生へそうな守を口說くなり
厭やならばいゝが嬶ッにそう云ふな

よし町の下女させそうでサテさせず
くじる最中めい〳〵に扎出して
（切落ちか）
マアはめてごろうじませと小間物屋
よく續きなさると女房大機嫌
毛切レなら毛切レ瘡ならば瘡と
けどられまいと女房はさせるなり
我が女房でも疊するは盜《ぬす》むやう
窓海はへのこ許が無筆なり
（筆おろしせず）
見た事が有るにと厭《いや》な口說《くどき》やう
恥かしさ覺悟の前へ割込まれ
して呉れないと取付くと相撲云ひ

女郎はとうけん女房は丸びたい
（唐犬額、額の毛を拔去つて大額にしたもの）
執拗《しつこさ》はもちつと入れて置なさい
廣い事臍のきわまで裂けて居る
もの中うに下女おしい所引抜《とこひきぬ》かれ
川中でへのこを出して神だのみ
（大山石尊詣りの罷が淺草川で水垢離をとつてゐる光景）
聞譯《きゝわけ》の無い物おへたへのこなり
出しかけてひれ〳〵させる怖《こわ》い奴
揚子店《みせ》サテ出來そうで〳〵
させそうな見振で弟子か矢鱈殖え
とても事にはらめばと宿は云ひ

昨夜《ゆふべ》したまんまと豈間新世帶
屁を放《ひ》つたより氣の毒はおなら也
させるか／＼と岡崎を習ひ
へのこ屋が參りましたとはした云ひ
おごの白《しら》あへ一種なり出合茶屋
七のつを女房は足で揉《も》んでやり
させたからサアくんなよと下女せつき
川足して來た下女今の跡をさせ
口説《くぜつ》のを御用見て居て叱られる
雛のけいせいを捲くつて叱られる
拜々だらさしやうと婿をじらす也
せんずりをかけと内儀は湯屋で鳴り
下女ならば九十九ばんはきれるとこ

やらかす所を見ましたと小侍
もてぬ奴へのこと腹を立てるなり
肥後の名產でへのこを縛《いまし》める
（肥後芋莖）
此處《こゝ》はまた生てござると女房泣き
（腎虛で死んだなるべし）
つき出しはモウよがりんすまいと泣き
そりはしをはつて男はかへるなり
歌で見りやけつして穴は有ると見え
（小野小町）
くじる最中太郎兵衞樣急御用
させそうな奴で揚弓すきになり
（「呉の」の西施の月經になつた所を）
淋病でせいしがなつた所《とこ》をする

材木屋またし逃げかと笑ふなり　（夜燃）
洛中を下たに／＼と大へのこ
後《うし》ろから捲ると子守ぶッ座り
眞ツ晝間かゝつて亭主くらはされ
し殺した口書よがるかとぞんじ
恥もかゝせずさせもせず發明さ
くじるばつ向ふ下がりで丁度よい
くじりかゝと嘶くでおッ止める
遠くから抱付くやうに神子は挿
しないからやれでは女房合點せず
せんどの藥をと女房忘れ得ず
（四ツ目屋藥なるべし）
尻《けつ》をするぶんはかまわぬ庚申《かのへさる》

急ぐ篩俄かにしたくなつた奴
生《なや》よりも喰《ただ》た跡がと小間物屋　（張形）
よし町は乘せつ乘せたりやるめなし
八九人頬冠りして下女を待ち
寒念佛して居る門で回向する
言譯もあらうのにさせるからした
むごい事下女胯ぐらを明ヶ渡し
仲條へ行くに褌下女ねだり
上《うへ》にしたそうで出合の高笑ひ
馬鹿の癖に女の好《す》く物を持ち
見つかつて御用せんずり捨て逃げ
よからじもないとばゝァの久し振り
田舎嫁すのこを鳴らしいびられる

下女が色おしなエへ、と氣どつて

（おしなは信濃から來る椋鳥即冬季中江戸へ出て飯焚又は米搗などに雇はる、下男）

道鏡でなくても拔けば湯氣が立ち

田樂の串にへのこを使うなり　（芋田樂）

長局生〻でも箱へ入れて行き

させに行くとも云れぬで嫁といふ

おして勝つ氣でもへのこがにぶい也

つんとしてあてこともなくたゝかせる

アノやせでどつから出すかきつい好《すき》

拔足で泣くのを聞に五六人

雪隱の出合ィ必らず隣あり

裾が破《やぶ》れそうだに承知せず

師直は喧嘩にしてもする氣なり

（鹽谷判官「高貞」の女房「顔世」に戀慕）

口說《くど》かれて下女おふくびを付け遊ひ

一番濟むと竹僞がかあらから

めゝつこへはめる所へ呼にくる

出合茶屋上るや否やたゝき据え

入レるとよがるのを息子嫌ひなり

し蠹して出合へのこを高手小手　（ずいき）

新《あら》世帶《た》七ヶ庭中もするつもり

生《き》娘にしたゝかへのこ引ッかゝれ

貫盛生國はへのこ不出來なり　（越前）

一番づゝで堪忍と下女詫る

小間物屋へのこの似《に》面《づら》持て居る

させぬのみならず女房にいゝつける
ヒン抜て殿様直ぐに湯で洗ひ
錢の無い奴にさせるときかぬぞよ
し度くない顏をして居る奥女中
座興でも入ゝなさつたと瞽女はにぢ
二三本喰ひなくして後家たばね
とんだ下女寢てする事を立てする
褌も解いたに息子大はまり
物置で下女澤瀉を振り廻し
揚貴妃と織女一緒によがるなり
（長恨歌）
毛虱で尼と入道二人出來
惚れた奴間がな隙《すき》がな訪《おと》づれる

十三日へのこをかくす賑やかさ
（十三日は十二月十三日煤掃除の日上は
大奥より下町屋に至るまで人を胴揚げ
す）
生ゝ物を上げて見度いと（後妻《ごさい》）云ひ
長局足ずりをして泣て居る
レコサにはよふ利きますと玉子賣
し殺した樣に入聟云ひなされ
おへて居る鋭氣を挫く長い文
川たちは川で娑はしころされ
鳳凰は女房斗かする客を舞び
ドウ工風してもされない切り落し
出合茶屋泣き叫ぶのが耳につき

間男をさせまいとやつたらにさせる
口說やうこそ有ろうのに手を合せ
甚兵衛がへのこ在世の如くおへ
（助平の異名腎虚で死せしなるべし）
芝居とはそら言《こと》女中陰間なり
氣に掛けて九月は下女が遣てする
もがく事神《じん》の如しと四ッ目云ひ
がつ〴〵せぬで女房持《にようぼもち》知れるなり
りんの玉女房急には承知せず
切落し二寸長いとする所
張形のひけもの下の方へそり
香花《コッケ》燈明でおへたを拜むなり
（金精明神）
七番されてよまい事貴妃は云ひ

女房を口說くを聞けば茶臼なり
大腰につかうと麥の上へ出る
笑ふとされるで新造不人相
燒餅坂はさせ好な國境と
惜しい毛を傾城皆ゝなヒンむしり
醉た時夜這はよせと懲りた奴
鯉口くつろげさせるかどうだなり
焙烙《はうろく》へたれると船頭は勃起し
御談義の留守花嫁は驚はじめ
御守殿《ごしゆでん》は陰間をゑらい目に合せ
病上り女房ひや〴〵ものでさせ
饅頭のやうにへのこをおいしがり
いもがいやならさりなよと仲のよさ

へのこを見たら知れよふと今井云ひ
（實盛生國は越前なり）
したく無い顔をして居る呉服店
遠くから口説くを見れば馬鹿なもの
板ねぶとおぼしさ人の脊女房
（お妾の脊いは永井右馬守）
唯我獨尊とは弓削のへのこ也
跡の減るものかと口説く無筆同士
悪い癖女房喜び泣きをする
螢どりを觸れて御用はくらはされ
お氣の毒さとめゝつこと引替る
言《い》ひ分《ぶん》は跡でとへのこ納めさせ
己レが割ッたと云ふなよと女衒云ひ

針尖をよけ〳〵股へ手を入れる
させたがる國で三年せずに居る
（松岡、相摸國にあり）
女をばする男にはさせるなり （蔭間）
なりッたけ嫁小便を細くする
根太一ト頭下は池だとどしつかせ
（出合茶屋）
始皇帝死ナ無いで居てするつもり
かみさまへ忠臣だてに下女させず
鬼将左右へ逆立《さかだ》て乳母おやし
百握り顔をしかめて御用させ （お釜）
寶船皺になる程女房泄ぎ
異ナ所へ當ッて笑ふ神樂堂

させたいとしたいは直に出來る也
德利が欲《ほ》しかこれだとおやしてた
股引や八のこをさして見ぬばかり
どうしても武家が多いと夜鷹云ひ
げっぷうの出る穀息子して歸り
御牢を連れて大釜を買に行き
させ相でさせない下女はお竹なり
（於竹如來は麻布飯倉五丁目心安院）
やつゝける氣では買はれぬ三ッ布團
くじるには至極なふしをいつきつけ
ねれ加減神の如しと神樂堂
跡札は殘らつしやいと下女はされ
耳をほる嫁を見て居ておやすなり

いつかつて居て其もウ、是もウ、
し納めに雛提持へおつかける
（三月五日は下女出替りの日）
百人一首でかいへのこも一本あり
（猿丸太夫は、道鏡なりとの說）
學三味線をうかべると毛が生へる
今夜斗ゥよと女房は上になり
八のこをば見ざりしかと手塚に問ひ
（實盛は生國越前なり）
陰ぐらを牛裂《うしざき》にする提屌
させた朝おまへ起きて焚付けよな
惡い事斗といふがおきるしな
山姥でさへ女ならたゞ置かず
究屈な事が和尚は嫌いなり

大きいと云ひ兼て居る松が岡
雨風に逢つたへのこで歸洛する（行平）
胯ぐらをこのもしくする緋縮緬
獨りでに拔ける迄そうして置きな
首のすつ込む迄出合しいるなり
相州の住股ぐらの亂れ燒（相撲下女）
蓮池でへのこくわへて引込まれ
足の親指でつめつてのみ込ませ
口說かれて守胎毒をへがしてる
牛の角もぐと女が二人出來（張形）
長局腹にたまらぬ物を喰ひ（張形）
座頭の坊撫る序にくじるなり
夜ッぴとひへのこだらけの下女が部屋

まづい事紙鐵砲にしてさせる
薄く見る位ではする其の當座（月經）
鎧武者股ぐらへ入る面白さ
（閨中の淫具）
氣の毒さへのこ斗りに脈がある（腎虛）
手も足も離してしなと下女は泣き
稲村の蔭でせなァはやッつける
鷹冠りへのこを出してかしこまり
してやるも大きな事と中納言
（行平、松風村雨の兩人を每晩してやる）
ぶく〳〵をしてくれおれと淺黄云ひ
ねれ切ッた嫁そこ豆が六ッ出來
よがる顏見て乳母こわい〳〵

よがる筈是れは九州肥後の國　（芋莖ー
片側《かたわき》に拔身を置いて夜盜する
疊も折ッふしされますと姑云ひ
き娘はさせそうにしてよしにする
したいとは偖てもつともな事を云ふ
しやう〲なへのこ南無奇妙頂禮
いんらんの巾着相撲持て居る
毛を拔くととんだ大きく見へるなり
足を繩になつてねだり言を云ひ
さんげ〱開男をいたしました
幸村ももちつと居ると尻《けつ》をされ
（幼時上杉謙信へ人質に遣られしを指すか）

内ィしやうでいつゥか女おやしてる
あまりこびついて女房にやすくされ
生《は》へ際《ぎわ》へ手をあてゝ居て鞠を突き
一ばんじやもてた内へは入らぬなり
おやかして寢て居る奴《やつ》へ鈴をつけ
口說かれて下女開いた口へのこなり
さなきだに肥後を貰つて持て餘し
初ッものが十六本程生《は》へるなり
六ばんもされた程嫁草臥れる
（六阿彌陀詣）
雲隱の戸押さへ不義ものめつけた
びり出入名月の夜に書き初め
（色情上の紛爭紫式部の源氏物語）

仕て居ると知らず蔭膳三日据ゑ

むだを云ひ〱鐵漿《おはぐろ》をまたぐなり

（鐵漿壺をフリマラの男にまたいでもら

へばオハグロがよく出ると云ふ俚説）

睪丸を長く洗つてツイおやし

私し等が一度したらと女房云ひ

道鏡は居風呂桶の御字《ぎよう》に出る

持てぬ奴觸らぬ體で觸るなり

小便の留守の内清拭《きよぶき》をする

出合茶屋下に岩内飲んで居る

わがやうにじく〱はせぬ女だよ

憐愍でしてやるに下女ねだり事

間違ッてへのこをくぢり叱られる

女の顔をじつと見て居るとおへ

札を見るばかりと握りへのこなり

モウ一ッさせてたもれとゆり起し

玉門へいんぎやうていは入れるなり

する度に小便に出る姑ばゞ

己レを仕たかろうと思ふゑゝ女

大へのこ五六本來て吐鳴るなり

いゝ男仕てやらうかと恩に掛け

雪隠へついて來て下女口説かれる

あい〱と嫁さま〲に行《おこな》はれ

一番を間男四五度ひつこ抜き

むしかへしする名なり紀の貫之

そうさせるものかとつき出しを叱り

いかいとつかわと仕て居る所をとつかまへ
きやんな筈内しやう賣もする娘
長いのは流行りませぬと小間物屋　（張形）
酣にへのこのおよぶ出合茶屋
四ッ目屋の女房わつちが受合ひさ
どう云ふ氣でさせたと女房をせめ
ヒリ付くがいやと女房不得心
（四ツ目藥屋なるべし）
湯屋喧嘩へのこの無いは湯番なり
是切りで濟むッ泣くなと下女はされ
（輪姦）
どいつだゑへんと云ふと下女は出る
金づくでやつと娘を仕て貰ひ

たんと出しさうな名泉式部なり
六阿彌陀あんまりぬれてたわい無し
誘《さそ》ふ水下女汲みに出る手筈なり
既の事へのこの御字になる所　（道鏡）
下女の屁をかぶつた晩に口説くなり
外科がいぢッちや正直な者おへず
けしからぬ濟度江口でさせ給ひ
（謠曲「江口」普賢菩薩）
新造はうつゝの樣に紙を取り
よがり泣して其のあしたいびられる
長局男のきれッぱしを持ち　（張形）
書き賃に晩に行くぞと下女が文
よがり泣すると間男仕手はなし

不取締の股ぐらを母案じ
口說かれて下女雜巾をあてッつぎ
生娘にうかとかゝると安大事
越前で嫁人知らぬ不樂《ふたのしみ》
長局足を早めてよがるなり（張形）
夕べからけちを見やすと出合茶屋
聟一度仕たを姑は小半年
嫁入られもせず名代を引寄せる
女同士でさへあると締まるなり
かさの無いものは女のをえたなり
勘當をしられて地もの斗りする
長局四五本持つてそねまれる（張形）
仕て行くはよく／＼好きな夜盜なり

己レ一人仕はしまいしとづるい奴
首くゝり大家へのここに持て餘し
備前もの下げて大藤内は逃げ
（曾我の夜討）
つめ紙をせぬが地ものゝ馳走なり
圍ひ下女二番する積外《はず》すなり
高年《こうねん》も蔭間みそごいものを喰ひ
べん／＼とおやかして茶を飲で居る
（水茶屋の光景）
十目の見る所にて奴《おっこ》する
何を置いても張形の代は遣り
好〻な下女所を聞けば小坪《こつぼ》なり
勅勘が遲いと須摩で腎虚なり（行平）

間の悪さ下女一番を二度にされ

門ト涼み下女わりい事しなさんな

口をすくして女房を腹へ乗せ

大きいがいゝとも女房云ひ乘る

ひんまくると直ヶに船頭漕ぎ出し

（お千代舟）

男へは武具をあきのふ小間物屋

（兜形、鎧形……）

餘ッ程の疵を夜遣は秘しかくし

入聟は下女と一所に追ヒ出され

モツと大腰にと亭主下で云ひ

四番目をさせぬと若いものを呼び

男で業平ほど仕たものは無し

ぬッと入れたらジュートと云ひそなへのこ

振袖を着て股ぐらは藥研なり（陰間）

アレよしなやうとすどこへ手を當《あて》る

エヽ年をしてめゝつこへはまるなり

へのこから朝起をする一人者

自身に云ひ悪くかろと下女が宿

太刀とへのこを並らべさんげ〳〵

（相州大山石尊の神體は石棒三尺五寸程にて之れに因み木太刀を納むる也）

うなあなをいゝつに女房恩にかけ

ひよろりのと抜けるを女房追駈《をつかけ》る

道すがらくされな事を御率きゝ

突ッ張らぬかわりに女中うきになり

納豆を腹の上から呼んで置き
灯《あかり》を消すと下女いつそけなるがり
毛の生へた口へまんじう落度なり
暖《あ》ッためて進ゝぜやうよと聟は入り
長田が郎黨へのこへしがみつき
へのこは如何にも黑きのを貴み
（黑色は味よしとご）
尻《けつ》をするさかいと御用寄り附かず
戸を明ヶて出すは中條めづらしい
呉服店娘が行くと皆おやし
ツンとして好ヶつたらちやァ無い女
されぞんの下女が出て來てさゝはたき
ちつとづゝ毎晩仕なと下女は云ひ

みす紙を一二番ぶり持て來る
越前だけに仕にくひと外科は云ひ
白酒に醉てゝ下女はさせ納め
（三月五日下女出替）
時を得て道鏡寢かし物を出し
見るは目の毒女房の寢像なり
酒しほやあめでいけぬとへのこなり
思ひ內に在れば外に面皰《にきび》なり
桝屋へかゝつてばれる下女が色
鳶凧草をわけての詮議なり
仰向《あをむけ》に寢て女房にへのこされ
流行る外科今日もへのこを五本見る
ふんだんにアゼ惚れるよと下女が兄《せな》

尻《けつ》をした男奉加に五十付き
棧敷中屏風が立つと動くなり
眠ッたか置こうと亭主拗《すね》るなり
女房にへのこをさせる不性者
もちやそびにへのこを貸して持て餘し
女房のために兩國まで廻り
（兩國に四ツ目屋あり）
股ぐらで芋莖《ずゐき》をあへる面白さ
穴端へ腰を掛けさせねだるなり
下にして呉れナと女房せつながり
有《あり》ッ切《き》り男を絞る出合茶屋
ふよ〳〵する女を出合につれる
骨組のいゝを御守殿買に來る

目を覺まし丁稚へのこの繩を解き
新嫁ァ晝夜とろッぴやうしにする
股をすほめてほんだわな〳〵
はうたが一歩きや〳〵が一歩なり
毛を抜くととんだ大きな口があき
蚊を焼けば亭主へのこを見せて置き
名代を仕てもいゝかと連れに開き
此の子こゝに嫁《とつ》ぐで能く流行るなり
（こづくさは交合の義）
怖《こわ》い事へのこ四五本馬が喰ひ
モウ一ト廻りやらせとむごい事（輪姦）
護摩壇の側でへのこを出して見せ
けつをされるかと跡口はおどされる

島へ行くほどの張形罪は無し
淺漬の石仕た奴が取ってやり
閨中へ入って姿は章魚となる
女房の腹立てさせぬぶんの事
上八乘ったらばと亭主すき見なり
泣かぬのは御座りませぬと出合茶屋
股ぐらへ當てがつて見る志度の瑶
（謠曲海士に現はれたる讚州志度寺の縁起の故事）
お釋迦樣の若《にやく》僧は阿難尊者《なんそんじや》
廻りを取るぞよと御川おどされる
姑婆ゝ仕手さへあると靜かなり
折れ相だからとは下卑た口說きよう

八のこにけつぷうをさせる出合茶屋
乳母が股ぐらから張形類《るゐ》を出し
張形はきらしましたと小間物屋
する所《とこ》へ御用はやうと邪魔を入れ
泣く奴を幽子燒さし覗くなり
こんた樂にさせて間尺があふものか
めゝつてうめらと官女を嘲弄す
祭禮に八のこの交《まじ》るとしま町
終るとふれるで名代は起て居る
始終來もしやうか位で初會させ
醫者樣にいつゝけやすと女房させ
お姿はたつた四五寸仕事なり
あのおらをは《い》ちへ入ゝろを嬉笑ひ

四も五も無いさ仕たならば仕たと云へ
出合茶屋じゆつなか下になりなさい
泣き乍ら女房へのこへ土砂をかけ
（腎虚）
泣く沙汰を出て行くのは初鉾ぎり
灸すへる顔見て亭主おやすなり
尋常にさせろはとんだ口説きやう
はめて居て叱るやつさと御用云ひ
怖い下女嘘腹帯を仕てゆすり
連城の涙と残るはへのこなり（卞和）
人々眠むれば針妙なめさせる
相手ありな乍ら死に損腎虚なり
腰は私しがつかをふと出合強ひ

くゞり戸へへのこ斗ヶ出す憎い事
暗ぐら迄のおし込みに女房逢ひ
つかれたへのこで女房にはむくなり
（朝帰り）
顛掛をしてする裾に／＼

第三編

男神の餘れるを女神のたらざる所へ敎しへ鳥に點頭《うなづき》給ひ、交合の道始りしより此かた年毎々大社の神集め集らせ給ひ、男女妹脊の仲立ちし給ふも蒼人くさの種の盡せざる御世話ならずや、かゝる目出たき樂みなれば此うへの遊びは有るまじきものをこ戀の笑ひの壽惠津睦花をたもこの内より取りいだしまいらせ候かしく。

陰莖《いんきやう》がおへたと學者妻《さい》ィに云ひ
泣キ姿ケかゝへて謀事に逢ひ
後生だと口說かれお竹困るなり
お授けで鬮取ちッほけナへのこ
誰《たれ》にも斯《かう》すると思ひなんすなよ
好キな下女咄しは跡で仕なと云ひ
小宰相まづいへのこでされるなり
廊下ひそ〳〵閨男が二三人
先ッ無事ですると廿チ廿六
（十九女の厄年　二十五男の厄年）
おゐたには勝タれずおゝさ〳〵也
供部屋にへのこおやして終夜《よもすがら》
誰が仕た彼が仕た仕た方へツン向け

先キの目も一ツで持參ンちッとなり
生キたのを箱入れにして事が出來
明キ店で櫛を拾ッた奴もする
立チもせぬものを生醉おッ付ける
押寄せて來ても相撲の女武者
茶臼の愛想に亭主もみつちり
果報が有るかお内義は出して居る
義理に褌外づさせる面白さ
高鳴りに野守が女房よがり泣き
鳥羽の院くぢッて見ても氣が付かず
（玉藻の前）
新造は生體無しにされるなり
翠玉をねろうに困る朝歸り

雛形の通り具足を干した晩
（具足櫃中に枕繪を入れ置く慣し）
戀の盜をさせないで疾《や》み出だし
出合茶屋あんまり仕ない面《つら》で出る
中ゥ日に初めて嫁は晝間され
蛤も平目もいらぬ出來心
仕舞ッたか出合扇の音がする
借金の穴を娘の穴で埋め
京談ニであきッぽく無く遊ぶなり
尤な事四ッ目屋へじやもつ面　（あばた）
出合茶屋忽然として亭主おへ
麥畑ヶ蕎麥切り色をまくり合ひ
女房にくぼく見らるゝ皮冠り

知らぬ事とて大日へ遣ッて行き
（大日如來がお竹と云ふ下女に化身して來た由、大傳馬町作間の下女）
女房を見て居てされる猿轡
瓜田より炬燵の足の疑はし
膝をぶッたのは踊子の本ゝの怪我
皆ゝな留守猫の交尾《つるむ》をよッく見る
能く腰が抜けぬと汐汲どもが云ひ
（行平のことなるべし）
芋の親嫁にはゑごくあたるなり
花色の褌でするどやの嬶
下女が守本尊まへ出し地藏
（鎌倉滑川のほとり延命寺奉安）

道中じやよしなと女房しいるなり
もふ外の仕手は無しかと下女が宿
傾城のもりかへ一ト口も喰へず
口留メのたんびに下女は色が殖え
玉子でもいかぬ所を爪を取り
かいげんをすると一休ぶうらぶら
（地藏の開眼に褌をまきつけた話）
一ッ國はむくれてるのを笑ふなり
（越前侯松平忠直の愛妾）
むごい事二俵こさへる村の不義
面白い跡仲條で待つて居る
へのこに男をふるわせる忠ひやうへ
蛇《じや》が蚊を呑ゝでる所へ弓削が出る

長生キで穴ッをされたを人が知り
いしやでくふ時は矢ッ張たこと云ひ
團子茶屋引ッ立て泣き出させ
嫌らわれた下女どんぶりにされる也
エヽ尻を並べ庄屋の田植なり
跡の祭り野郎の傾城をあげ
ふく神のするを見給ふ二日の夜
呼出しをほつたて尻にかついて居る
松ヶ岡そして尻《けつ》まで仕たと云ひ
きつい事位のあるへのこふり放し
（高尾）
よがり泣キ姑ト親爺で窯掘
三保の浦され損にしておッ走り

天知る地知る二人知る御用知る
時鳥とりかけ山でたしか聞き
てんじやうをくゝり枕で下女させる
新世帯ぎちり〳〵と夜を更かし
ぶ男の娘の居所コ訴人する
淺黄裏おいどをせゝり叱られる
四五人でゐらい目に合ふ時參り
嫁の替へ玉するどこかもめるなり
殊勝にも見へる出家の皮冠り
ほめぬ事世間の廣い女なり
十三をして琴瓜でひつかゝれ
大陳のへのこで新ラを突きたがり
好キな奴脊中へ糞をふん付ける

義仲はせないとへのこ引抜かれ　（巴）

お饒舌にさせろと云つて觸れられる

女房を三聲起して下女へ這ひ

小間物屋内蠶寳が金もうけ

かのへ申女房を口説ッ落すなり

災難は替りごつこに下女される

せつない口説ギやうおッ付る斗り

させもせず仕もせぬ二人名が高し

大黒とへのこ手桶でごろッちやゝ

（年の市）

下女難義引摺り込んでかゝり舟

叔父さんをまかしたと乳母茶臼なり

三年はむだ穴にして緣を切り　（松ヶ岡）

裾ッ張り常盤御前をへしに褒め

（裾張蒟蒻本には「淫女又は淫婦」と書けり好色の甚だしき賣女を云へり又賣女ならざる淫奔娘をも云しならん）

何かしら一寸咬へる色娘

痘瘕《あばた》と出合物取に落ちるなり

うぬはさせないやうな事姑云ひ

假に若衆とあらはれて寺へ住み

臨終正念でへのこは木の樣《やう》　（腎虚）

恐ろしく仕たと掃出す出合茶屋

赤切レ女《め》よしなんせよもすばらしい

紫色雁高ッ死ぬ〳〵と女出し

（紫色雁高は最上の品物）

足をよぢつて名代は鼾なり
まつと云せるとするとこ式部書き
山の神團子を投げる朝歸り
下女に這ひ九月紙帳の雁ニ騒ぎ
よし町へ女の上る氣の悪さ
普賢樣悪く變じて矢鱈されし
木の樣にさせて娘は聲を上げ
小間物屋割のいゝのはへのこなり
尻のつまらぬ年ニ明キは若衆なり
越前は致《いた》シにくいと小間物屋
練れるのを樂みにして笛を吹き
女房に髭を拔かせておやしてる
てんば女郎《めろ》隱れんぼうで味をしめ

顏はうつくしいが面《つら》は憎くいなり
くぢられた腰元狆をけしかける
六阿彌陀あんまり練れて熱がさし
內裡雛寢床へ落ちる新世帶
山歸來干してへのこを詠めてる
（山歸來は一名土茯苓又は土萆薢又は
仙遺糧黴毒の藥）
あい身たがい身とは長局の言葉
三ッ星は番附で見る疵へのこ
（三ツ星瘡毒藥）
醫者が最ういゝと云つたとかゝるなり
勝手づく伊勢屋菊石《あきた》をなめるなり
持參金茶臼が出たで安堵する

けころ客そとばを讀でたゝかれる
下女に腹振向けられる馬鹿ッ面
棚ッ尻邪魔なる時はつめられる
角ノ細工女がすれば戀になり
巾ッ子も夢斗りでは出來ぬなり
いつそやらうに成りねへと若後家
下ッ心腰が痛いと下女を呼び
出合茶屋抜き足をして叱られる
向ッ風唐の女は困るまい
させたのが惡るいと下女にむごい評
こん〳〵をかぶつて乳母をやッつける
芋づらも蛸の果報に生れつき
横に寢て外科に見せてるけちな奴

後の親を親とせず芋川樂
ひざだいをしてくぢつてる切落し
茶臼終ッてしんまくの其の惡るさ
つまみ喰どこぞで先ィの腹が張り
お局は若い女中にさせるなり
田樂を焼くたゞ中によがり泣き
五ッ目と三ッ目の間ィで下女泣かせ
女帝は九十六ひだでおわします
竹笠をうつむけられて萎《なえ》るなり
おくれの髪を撥分ける女醫者
傾城に間男のあるけちな晩
目を塞ませて後家の男は逃げ
つねられた醫女惚れ主を考へる

肱を曲げ枕草紙を讀で居る
雜魚寢もいつそ手廻しな緣定め
旅の留守見舞一日無駄を云ひ
縛りからげて仕た上で背負て出る
こび付て居るのをございそ引だし
能因を眞似間男をとらまへる
塀の破れから來なよと后ゝ云ひ
（業平二條后）
女房のかげ身にそつてたわけもの
とんだ旅籠屋旅人を當てにせず
宮柱ふとしく立つて神子を見る
年明ゝに剃ぎ盡くされたたわけもの
うんといゝなせんとつめりんすによ

馬鹿手代娘をあてに勸めてる
こびり付てるのを誘ひ出しに來る
けちな晩廊下ばつかり音がする
口說ゝいゝ樣に若後家取り廻し
今照手だと藤澤で喰らひ込み
七十五日見世をひく稀レな事
（産のためなるべし）
おすき見に客はいゝ忍は轉ろぶなり
惚れられる程は殘して後家の髮
お祭の最中減で下女渡し
（「お祭り、お渡り」は男女の交會を云ふ）
小桶からなめらの下がる板ねぶり
（長まら）
越前はへのこ競べをいやと云ひ

のほうづも内義ちいさな形《なり》で受け
五月女で練れたろうのと客じやらけ
地紙賣おへるか最後困るなり
檀家にも非ず轉ろびに參るなり
夏祭ねり子いきれッ臭く練れ
地獄娘《むすめ》大家の息《むす》になめさせる
提重は坊主殺しの毛饅頭
（提重は淫賣の異名毛、饅頭は女陰の異名）
水汲は入れて居るのを見て入れず
ぐづろべい足を搦ゝで〆めつける
ぞんの外エヽ男だが象の鼻
（鼻の高さと一物と比例すと）
通夜のにわほう〱なめに二人合ひ

播摩屋のお鍋で尻が早いなり
（播摩の鍋は尻がうすく湯のわきが早
いより轉ず）
手長足長入込の風呂の內
よわい事中ッ年にしてたぐり込む
ひよぐりかけてふ蕩けどっぬ知らず
（ひよぐるとは小便すること）
障子突き抜きへのこにばッをさせ
心中に逆修《ぎやくしゆ》消すよと後家よがり
蛸壺でけつの毛迄も吸取られ
首ッ丈けわずかの穴ではめるなり
ひだるいか亭主產婦の伽を〆め
婆介でやッつけられるおさんぼう

つみ髪は卸し藥を自身差し

玉門を鬼に喰はれるあくた川

（業平二條后）

丸綿を上ゲると姿る勝手づく　（持參金）

毛巾着せいて道具に切レが出來

（毛巾着は女陰の異名）

虱ゆへ剃つてへのこはすげが無い

待ちねへ音がするとて拭てさせる

とんぼうに成つて待つてる變な面

すこし／＼がおつぱね起きて綿をつみ

心棒をはめると茶臼ねだり言ト

かけ向い何ゝ時仕やうと好ゝな事

鷄のつるむを見ておッころばし

思ひ内にあれば前か高くなり

さし向い炬燵でおがらかして見る

させ樣が惡いと童子酒にくみ

うぬぼれのへのこ敷居も高くする

腰拔けの下女茫然と麥畑ケ

福神を乘せた娘がたから舟

はへるまで奴を〆るまつり過ぎ

色男濡れたへのこで度々かくれ

本尊の罰でちゞれも不あんばい

日なし貸美なる地獄に引込まれ

水揚ゲはやぶるあやぶを除くなり

其のまゝのへのこで逃げるつまみ食ひ

色男あぶない目にも二度出合ひ

一人して仕に行く様に息子成り

へのこから怒つて女ァ釘を買ひ

ざつな中サア仕やァがれさしやァがれ

枕草紙は曲取りの仕様帳

山伏のへのこで鐘をとろけさせ

（道成寺）

据《す》へられて七兩二分の膳を喰ひ

若比丘尼させに歸るをけなるがり

長い事夜食の隙に萎へるなり

眞實な娘へのこを追ッて出る

下女などは手輕いなどゝ色男

すばやいで近所の下女を浮かす也

噓をこきまぜあれもしたこれも仕た

新らしい内女房は沖の石

（乾く間もなし）

遊里《さと》馴れてつゝッかせたくなる禿

松茸を握つて相撲ねばるなり

松茸を見ても相撲ははづむなり

下女の折させた男に袖屏風

つみ草の尻へ生酔おッ付ける

ちんぼこを禿そろ／＼心がけ

貞女へのこの大小を知らぬなり

婆ァ様の汁氣《しるけ》で孫に守りをさせ

夫婦角力の引分けは泣き出され

泣き出され夫婦角力が分ヶになり

取持《とりもち》に抱てもらつて守はさせ

とつさんとかゝ様と寢て何をする

新ラは來れども摺古木に新ラは稀レ

さかほこの滴りおぎやァ〳〵なり

（さかほこは男陰、伊弉諾尊は天の逆鉾伊弉冊尊は滄海原なりと云へる神道俗學者の古說に基く）

コウ組みしきなさんしたと巴云ひ

（和田義盛）

でゝ坊主大かたへのこから起り

はづかしく古ル鉢つゝむ綿帽子

不器量に長年させて靜かなり

待ち兼てへのこが涎たらすなり

肥後芋莖《ずゐき》むしやうにゐごくよからせる

いゝ目見得口なめづりで且那習き

やうじやの見せつぶたけがおやしてる

乘せて居てモウ寢やしたと舌を出し

牡丹餅を食ひ毛雪駄をつッかける

（毛雪駄は女陰の異名）

彥七も初手はさせらばする氣なり

（大森彥七千早姬）

茶のあはのためしもあると和尙ぬけ

黑あぶらへのこの毛をば染め殘し

とんがりのねぶとでぞんの外もちやげ

（よく持ち上げる女を尖頭のネブトに見立てた駄洒落）

頰ッ赤を包ひ袋でふせぐなり

（頰赤は陰部臭きと云ふ）

我が物がたつたで錦木をたてる

二本目のへのこで初手の面《つら》を張り
しゝの出る穴は別さとさゝめ言ト
後家の下女納所の部屋で珠數を切り
ちよんの間は手拭を濡らして歸り
去ッた女へ立テ引キとへのこせき
大味は間口が廣ィなどゝ云ひ
白酒は腰をつかッて唄で挽き
納豆をいゝ最中で買ィはぐり
くぢり放しは錦木の意趣返し
よい年をして傾城のじやみを買ひ
萬度持ち先ッ畢丸が先キへ出來
三味線の代りに枕二ッ出し
不屈さ在家の遊ぶ所へ行き　（僧）

仕て歸り炬燵の方を覗くなり
褌は殘してこづま一トつかみ
何宗か知らず和尚が雛を買ひ
大部屋へとまつた夜鷹ふりで迯げ
生キ物を喰ていしきが平くなる
我慢して歩行き夜馬に乘る氣なり
（夜馬驛妓を馬に擬す）
留守中を知らぬが佛禮を云ひ
ひたい先キ撫て按摩は大《おゝ》かぶり
鼻は兎もあれへのこをば助ける氣
下タの口すぐしての來る旅の留守
黌寢して守したゝかに毛を背かれ
本の様にし女房の夢を破り

へのこ競べの卷ニ頭ゥはてんこそり
（上反り）

助平はおいんおらんが異名なり

呼ニだ晩初めると夜が明けるなり

乳母は初めて仕やすとは云はれない

盃事《さかづきごと》でする事がおそなわり

長局腹にたまらぬ物で濟み　（張形）

うぬぼれ娘ありやァいやこりやァいや

雪隱を貸して辻番きざすなり

守《もり》に惚れあやめ團子で足をつけ

手出しすりやかぶり〳〵で乳母は逃げ

ゆる〳〵と立ッた晩からづるくする

讀い事ゆいげの立ッのを請ヶ給ふ　（孝謙帝）

萎へ乘てすんでに湯氣にあがる所

女ナ客かうか通いで目にかゝり

羽衣がほしいで曲ヶ取をさせる
（三保の松原天女は伯龍）

へのこに化ヶて四郎兵衛に押さへられ
（四郎兵衛吉原の大門の門番）

八瀬男毎晩ねれた物を喰ひ
（山城國北山方八瀬黑木賣の大原女の居處）

へのこぞり〳〵かち〳〵〳〵でする

毛深いと斗り保名は思ッて仕　（葛の葉）

早乙女を後ろから見ておやすなり

妄語戒破つて姪と和尙云ひ

泪雨あさつきくさい口を吸ふ

道鏡は一戒たもつ斗りなり

氣の毒さよめつた夜からおゑんなり

（月經は猿猴より來る）

武藏坊終り初もの一ッぎり

かた手程なぐッた面で朝歸り

毛が少し見へたで雲を踏み外し

（久米仙人）

たれさしてへのこの逃げる破れかき

穴なしに通ッたがきつい深くさ

（小野小町、深草少將）

根太の落る程せいを出す若世帯

炭部屋に睪丸ちゞみ上ッてる

高野山犬さへけつでさかる也

（男色流行、高野六十那智八十の諺あり）

相撲下女口よごしだとしがみ付き

ちんぼこをどうぞしたかと花奢《きやしや》にき〻

牛《ぎ》ゥ角ヶに暇をくれて緣に付き

（牛角張形なり）

道チ法《のり》の臍へ近いで上とする

只置かぬ氣か獨身の乳母を置き

嬶ァが口のせまいのがきついみそ

胯を破《わ》りちりに交はる抔と云ひ

なべや紐下女がはらムだかと思ひ

出合茶屋蓮を見に來て立テ込める

はじめると夜着から猫がすべり落ち

初い孫を早く見たさに二階へ寝
腹の子がせつなかろうとけつもどき
新女房證いねむつてなぶられる
若姑息子がするとたゞは寝ず
かたい醫師冬のかはりに夏しめる
（春三夏六秋一無冬）
新造は干《ほ》シ大根によりをかけ
（一名提灯とも云ふ）
仲人は早く開らいて内でする
背に腹を替へてよし町客を取り
七日さへ休みやせぬと女房出る（月經）
めゝつこの目きゝしぜんとすごい面
牛の角男姿にさまをかへ

毛唐人女ナの尻へ鉢を置き
（淫水を取りて薬用にするとの説あり）
藥力《やくりよく》のあたりへもれるよがり聲
（四ツ目屋藥）
させざまを知らず孕むと遣手云ひ
あれを仕《して》人是をさせ人《て》と大社《おほやしろ》
山出しは立小便で叱られる
めゝつことちんこが井筒覗ひてる
化ヶ物にやつしてさせに通ふなり
雪隱へ下女が茄子《なすび》で穴が明き
（茄子さは、變形女陰子宮の脱落せるもの「枕文庫」）
人肌にしてはかゝとをあがゝせる
（張形を使ふなり）

飛び物に夜膽は客を跳ね返し
ふてへやつ三年まつて〆なり
（松岡に三年）

機織によくねれやうと馬鹿ッ口
帆柱を立てゝ若ク僧品の夢
二厘五毛の出しつこはうまいなり
遣ッた事下女が寝言でばれるなり
口不調法ではらませ人《て》に落ちる
紙を突込ンで逬かれる大癡坊
藥取ッ似面とへのこかきまぜる
夜に入ると桟敷で藝をおつぱじめ
蓮掘ッが見やすと障子引ッ立てる
（不忍池の出合茶屋）

白壁に異形なへのこのたくらせ
若水で雑魚寝のへのこ洗ふなり
與右衛門はしやう事なしに眠《い》ゝつていし
其の心術圖へ紙を挟むなり
蚊を焼く紙燭吹ッ消してマア待チな
よし町へ買はれに来るとひそかなり
あやしたり抱キたがつたり足を付け
雪隠を一人出て又一人出る
浅黄裏犬のつるむに莚を踏み
出合茶屋ひつそり過ぎて覗くなり
かゝァどの姫初めだと馬鹿を云ひ
合はぬ道具は門ン外《ぐい》でらちを明け
生酔にさせて胸から下《へ》吐《ど》だらけ

湯屋の石舐める所を引ッたくり
（毛切石なり）
出合茶屋いけまじ〳〵と手を洗ひ
入聟のへのこ紅葉で歸るなり
あつい目をしたのちしたで無駄になり
緣づくは芋面に蛸させるなり
明ヶ方につめたい夜着へ還戾り
させろより男冥加はしてくんな
裾ッ張ッこわい目をして盜マれる
手の背にすつぽんの浮く出合茶屋
かゝに枕《きま》付けそうなのも不義の緣
棒だこのある肌をふる須磨の浦　（行平）
芋賣の息子に蛸がくらひ込み

賴まれて仕樣を敎へされるなり
明ヶ店のくしから尻がわれるなり
へのこを釣って來門番に叱られ
かたつぱし昔男はぶつちめる　（業平）
させるかと女乞食へ四文やり
藪入の歸りたくない物を喰ひ
川舍娵がくり〳〵とねれて來る
させ口がきまり暇《いとま》を貰ひに來
色咄し大事をへのこぶちまける
床の內ヶ乘り出て火燵ふりむける
色男よんどころなく臼をすけ
かり高は咬へて引くと思ふなり
へのこ驕勵家主は知らぬぶん

白酒に二日もたれる色男

ちよつかいをなぐられるかと風呂で鳴ッ

張形を口に寄せたらどうだろう

姑の大股立は水が減り

小錢はおろか二本でも跳ネ返す

初ノてのふりでへのこの喰ィかくし

かわらけと茄子ト夜る湯に誘ひ合ひ

（茄子は子宮の脱落せるもの、一名陰挺と稱す）

言譯はかゝノ火屋は介びやうゐ

旅の留守マアにして置く月足らず

かた付て寄レばしたのもいんぎんさ

男斗りでは覗いていきやアがり

傾城は間夫のへのこでかいゝなり

（肉だまりの如きもの小便道の下にさがりて子宮の穴の蓋になりて居るなり痰瘤とは異なれ共上の方に附たる所は大なる梅干ほどにて茄子の形に似たり。「枕文庫」）

抱いた子を蓋にして出るざくろ口

憎い譯三とせおやして松ヶ岡

身上りに枕のくの字ぬいて待ち

鵜遣とのかゝアあかるくされるなり

我が顔に似た子を産ンで名が立たず

藪入りの戻ると來ぬですきが知れ

受けず施さずハ小野の小町なり

年始帳御用へのこに上下着せ

戯いて仕なさへと云ふ持参金
三味線の駒がゆるむと轉ろぶなり
さなきだに外のへのこの味知らず
（太平記にある鹽谷高貞の妻のこと）
道鏡の塚から出たかさまつだけ
久し振りさせた門まで顔を出し
獨身が寄つてへのこのカラ薬《わず》
盗人は夜這におぢて逃げて行
有らふ事庚申の夜に瘡をしよい
關守に出し兼る管大へのこ
醫者さんに私しが毒と云はれやす
青女房へのこの浮名立てるなり
鼻息をせずに仕てやり一本借り

娘のまたへ結納の錠が下り
ひッつりひッぱりがいゝで仕人《して》が來る
よそ行キをかりり〳〵に下女出合と
毛饅頭萬民是れを賞翫す
松茸の元ト草を分け虱狩り
年の市男に化《か》してねれるなり
一番でいゝかと相撲あとねだり
あかるむと出合の屛風かり取られ
筑摩鍋へのこを替へて重くなり
（間男する度に頭にのせる鍋が一枚宛重くなる、一代男かに出て居るさ思ふ近江國坂田郡筑摩神社）
めつきりとおいどの開らくお十三ッ
八文字五丁を連れてねれさせる

玄宗のへのこ双六であらそひ
否《いや》と云ふのに仕たからとやつと詫み
鷺痩の帆柱へ母は引ッかける
其の薬腎虚させ人《で》が煎じてる
させろと云はれ灸箸を捨て逃げ
へのこゆへぶちのめさるゝ色男
下女合點壬生狂言でさせに立ち
嶺に有ッたらよかろうと相撲云ひ
夜鷹客一ト口ものにほうかむり
めゝつことうつちやッて置ャかつがれる
澤舵の石を下ろして舌《どっ》にかけ
大それただてアノかゝアしたのなり
切見世で豆のこわめしおッことし

夏六をば用ひ無冬は茶にして居
（春三夏六秋一無冬）
正燈寺へのこに封をつけろなり
（正燈寺は下谷龍泉寺町紅葉の名所吉原に近し）
よしな否《いや》じや無いけれど穢れやす
（月經）
うら門ゝは惰が遊いとけんが云ひ
（けんこは、玄の字を帯く僧の異名）
遊ばされませと早速轉ろぶなり
かり高はぬく時藪の音トがする
何か譲むほつたて尻がおがらせる
革《かわ》籠《こ》背負ひへのこ修行に相撲出る
轉ろんだが露見し弟子を省かれる

辨當を其の手で貰ふ切り落し
（其手はくじつた手）

振られた夜かいたを夜着で矢鱈拭き
よからぢも無いと婆ァが持ち上げる
した外に一文もなくづぶに濡れ
ぶら〳〵が治《じ》して無敵につッかける
押り入《いれ》のおぢから雷も好きになり
竹生島のうつしですつこ〳〵〳〵
（不忍池の辨財天）

屋根裏のいたづらものがぶらと出し
鼻紙の用意七十六日目（産後）
おへきつたさあらば鈴を鳴らしやう
朝顔をちぎつて守《もり》はされはぐり

口を吸ふとて鬼灯をいつか呑み
洗濯の向ふへ廻り拜むなり
抜けないと威されてせぬ伊勢の留守
はめて居てガリヽ〳〵を足で追ひ
せぬつらが小便に出て月をほめ
嫁取ッた晩提灯で餅を搗き
（提灯で餅を搗く老人の房事）
金よりも水がほしいと隠居云ひ
（水は腎水のことなり）
旅の留守寄計をすへてひしかくし
早い事琴のよく年おかゝ様
まづい事へのこをかへに乳母に出る
小便を叱りに出ればめくらなり

へのこに暇をくれて行く松が岡
うらおもてこのて柏の坊主客
三味線の下手は轉ぶが上手なり
鱝《えい》の穴つッ突き御用叱られる
（鱝の穴は女陰に似ろ）
恐ろしいたくみへのこをおさへさせ
歌加留多下女股ぐらへ矢鱈入れ
江戸見物にぢよなめきが立ッてたれ
角細工女角力の相手なり　（張形）
簪を借りかの穴をほる手だて
緋縮緬共のくせへのこはきずもの
蓮葉守手毬つくとて開帳し
才蔵は皷で腰を遣ぶなり

とんだよがりやうへのこを吹ッ出し
此の貝を拾ひに來たと床の痴話
おへたのはモウ隠されぬ衣替へ
道鏡に根まで入れろと詔《みことのり》
大きいに困つたもある松が岡
かんこ鳥おへたが最後おつぱじめ
燈籠見に無駄なへのこも賑やかし
雁が來た寝やれ所ロじやござんせん
紅葉からそれるへのこが栄耀《えよう》喰ひ
顔見世の宵に出かけてくじられる
（十月晦日の夜）
よし原へ行くをこわがりふりで逃げ
煤の晩ウッ草臥て跳退ける

當年中の仕納めと市にそれ

仕て貰らはずといゝのさと女房すね

外ヵの見人《て》ゐずばと寫し齋でおやし

二度目には常盤御前は安く産み

得心ゝで相撲長命丸を請け
（長命丸は女悦藥なり）

擧丸も掛でなくばと相撲云ひ

古市で息子へのこの仲間入り

〆る氣で泊ッた女屆いなり

つく〲とおへたのを見る獨り者

間男はするなと親父土手で逢ひ

容顏美麗なり味は兎も角も

見て來たか下女雪隱で指を入れ

妹トを見せて瑚石《あはた》を〆めさせる

生マ貝をきこしめさるゝ志度の浦
（鎌足）

自慢の女房痾瘡でまずく喰ひ

息子のものを親父ばんをくるわせ

かけ替のへのこ持つてる裾ッ張り
（かけ替へのへのこは情夫を指す）

後家へ乘り込み生ナ針を打ちおゝせ

乙姫を〆て歸るとばく〱し　（浦島）

ゆげの立つへのこけいいどでうろたへる
（けいごは臨檢のこと）

呪ィのへのこが利ィて齒が染まり

あれ〱が立消のする出來たやつ

願をかけ子になるやうに念じて仕
是レ内儀仕て居をる縮は何ン文《もん》だ
本妻はひだも開らかず母になり
たわけもの女太夫にやたら投げ
座敷牢よもやで羅《ら》切《せつ》願ふなり
（羅切とは陰茎を切断することゝ）
誰か來るそうだところくにさせぬなり
糊瓷の轉ろんだ様にぼちやは出し
ふし挽ィて助平棒ほどな涎
一番すんだそうで田甫ッを詠め
出來ずともいゝと云ひ〳〵こしらえる
日に増して茶臼なんどゝ望み喰ひ
ごつちや蚊帳こち〳〵とした目に合ハず

田舎守べゝを着せろにきよろ〳〵し
（古き和語の字書類には「へゝ」（陰）又「べゝ」（屁）とも書けり、今尚ほ少女の陰を「べゝ」と呼べる地方あり）
ちよんがれに図レ穴をほぢくられ
ものゝ具をへのこに着せて盡すなり
どの客が折レ込ナしたとどやのかゝ
雪隠じや在《ざい》のがいゝと口走り
持ちやつかい瘦悲の帶へ引ッ挟み
不精《ぶせい》だと子持か寄ッてなぶるなり
便《こね》謗の高ッ慢ノ剃刀でそいた跡ト
鬮《くじ》取りで飯盛廻り取らせたり
させたさは言はず語らず我がこゝろ
氣の利かぬ永ィ日だのと新世帶

入レるか入レないで七兩二分出し
廣前へを女衒掘り出しものと云ひ
夜る夜中物干へ下女何用ぞ
馬鹿亭主忍ゝか〱と矢鱈聞き
帷子の衣通《そとほり》ざつな女なり
坐頭の坊へのこの形ッを考へる
田舎の出合しんまくを藥で拭き
跡ト釜を仕込み惣領疲せるなり
旅の留守歸へッた夢で魘れる
論ゝの元トござれ〱の下女を置き
お使ひが犬のさかるで遲ッなわり
かゝるかと女房まぢり〱まち
戸たての戸へのこの先で明けるなり

輕井澤蕎麥挽キかけてさせに出る
いゝまきで割ッたやうでも只は置かねへ
嚊が口延び上がらねば吸へぬなり
女房を起コさずに置くあくる朝
新世帶油の入らぬ夜業《よなべ》なり
よく拭ぐひ寢なんしたかと床へ來る
産マないで去ッたら先キで矢鱈出來
黑を飼のはさせたいがこうじたの
（黑猫は癆咳の一療法として飼養された）
一本のへのこで二軒店が明き　（兩隣り）
かぢけ嚊ふのあるもゝをおッ開き
仕ただけを德と諦め歸すなり
産マなければ産マないと姑云ひ

稀レ物を湯屋で見て來て咄すなり
高腰はつッぱじけちやア撮《つま》み込む
這ッて來た女に二百くれて立ち
(道中の宿場の留女)
蔭ヶ膳の燒餅を燒くふてへ奴ッ
三日正月翌日半ヵ這入《て》出來
へのこゆへ珠數の如くにすへるなり
へのこ爭ひ黑髮が蛇になり
(刈萱發心の由來)
ずない物垣根の內で笑はれる
入聟のいびりぬかれる旅やつれ
水くみを又まをにするはめになり
股ぐらが柴取りをするで賣れるなり

もぎ放しアレお神さん旦那《だんな》さんが
雨宿り元ト仕た緣で傘を貸し
うぬ一人リずだい汚《よご》して夢がさめ
お寒ィはいゝがへのこを握ッて來

下がゝり

並べ百員

百千鳥機嫌まかせの囀りを硯に向ひたのしむ折柄、年の誹風に親しき友とち誘ひ來たり既テに咄の底か果《にた》かんとするに、幸ひ机の上に有合フ柳樽を開ヤ只徒に遊んより相評を催せんと頻ミ有ル中カの詠草ども取ちらし、出來合の内に秀逸もあらんかと驗《コかし》はべるに大笑ひの吐ヤ捨を得たり、何れもつれ〴〵の餘りすへ摘花のつみ殘リをめつたむしやうにかき集てならべ百員となり。尤大ばれの吟なれば、差合イくらずまして去リ嫌なくしかつべらしく月花の座も並べこち付備ン尾の腹を抱エ〳〵《ヤアボン》笑ふ門ドには福來たるとやら申せば此《こ》方《ち》で斗り笑ふもあまり欲頬とぞんじ御目にかけます、御笑ひ被成ませハテ御祈禱で御座ります。

長閑さやヘノコ交りに向ッふ島
　田螺ばつかり拾ふ十三

能い首尾と柳の許へ抑ッ懸ヶて
　時ォのはづみの戀深くなり

必ズを返す／＼に繰りかへし
　只崩レても耻かしき襞

月更ヶて綬て取り山と好ォな事
　うそ寒いのに果てぬさゝやき

仕たいまゝ紅葉をだしに遣ひけり
　へのこを替へて喰ふ丙午

成ッもせぬ梓《あづさ》にてれた水を向け
　内の用をばたさぬしつぶか

下付をもらつた禮に二番ニさせ
　造《つく》り離《はな》しは父有ッやなし

若後家の此方《こち》から鬪を投ヶつゝ
　かつかちめいいて門ドで氣をやる

素股《すまた》にて大松茸を遁レたり
　月夜ならずば廻り取られん

圍《かこわれ》の仕《す》る内ち新酒貰ィに出し
　初ノて赤くたれて青さめ

活ヶ花も思案の外に鉢を割り
　豆盗人は雛をねだられ

口吸へば齧の蝶ひらつひて
　根太を丈夫に張りし切り店

大男重きかゆへの常ッ茶臼
　とんだ雑魚腰と夕立の蜩

水汲の最中くわらり明ヶ
　留守頼まれて相撲引ッ込み

踏かずば尻を割るぞと敵ナ役
　握りへのこの夜ルは来れども
ちゞれ髪十ぶん床をみそで居る
　穏便《をんびん》に読む好ッ色ヵの本
机柱を空しくたをす一人者
　夢は破れて股はぬら〳〵
轉び合ふ所をさがす月の影
　踊ッで練れたうまい取ごろ
霧雨の晩ニに遁ふぞと袖引て
　よがり泣ナ以後物置に錠
孕マせ人《て》有ルが中ヵにもどもかぶり
　狸寝入のきんをこそぐる
しん〳〵と雪の日犯《とぼ》スさし向ひ
　桃灯で搗く新造のもち

孫にして能イ頃の守《もり》なめたがり
　質物かへとへのこちやうされ
旅籠が来ルと抜ナ身で裏へ逃げ
　夜馬の事は洩らす道の記
させながら狆の吼ルを叱る妾《せう》
　飯ニより好ナで頤《をとがひ》がこけ
夕月の花からおやし明日帰り
　けん〳〵ほろゝ振袖で打ッ
まんざらな惚レ薬買ふ咬かさ
　思へば糀《さい》も入らぬ張ッ形
淡流の化ヶ物に合イ目がさめる
　抓《つま》み洗らひを乾《ほ》ス間振りで居
月足らずなどゝ土産をまぎらかし
　かすりになめるまずい取り持ナ

草鞋を作る裾ひつぱづれ
　ひよんな虱でかわらけになる

競べこに御免〳〵と皮かぶり
　天狗のへのこさぞ長からん

勝手づくかムア旦那のたべあらし
　杉本左助泣キながらする

しつヮこさ寝おしい月に床急ぎ
　彼岸参りにおこう粫すれ

何ニ心内儀の股へはじき豆
　撫ヲかぶつ按摩脇キ道チ

わけの済ムまで押入のうさはらし
　轆ばされるを待つ忍び駒

味は蛸吸ィほそうとは契らねど
　抓《つま》ミ喰ヲいで焼餅が出來

仲條の内ヒ開帳は静かなり
　棚の陰茎へ上ゲル燈明

時鳥今朝の一ヮでうろ覺へ
　しらけし月にして歸るあせ

縫い針は私しが役となへさせる
　口説キそびれて煙草ぱく〳〵

花守に雛せつほしがろ道楽寺
　出かわるさたもないしや

罷さぎちり〳〵の貸座敷
　紙屑に散る無駄なじん水

開修行先ッ辻君を始とし
　するのを絲にかけさせる鰐

髱《もとゞり》は陰茎の罪で挟まれる
　色を求て道鏡のもの

幽谿にやつすもさせに通ふ智慧
　四人ッ加勢は無利な交合《こうごう》

辛抱も出來ぬ毛切レの直りぎわ
　太皷の撥《ばち》にして巫《みこ》に惚れ

淺黄裏ばれをいへども侮らねへ
　白粉うつる頬ずりの頬

くぢるやら吸ふやら月の無禮講
　萩を屛風に紫《し》色雁高《しきがんこう》

わたしがと云はれぬ櫛は露にぬれ
　女子でなくば生へそうなもの

おちやッぴい少しまくつてあかんべい
　木挽キの陰莖洩レてぶら〳〵

四ッ目屋を落トして置イたべらぼうめ
　孫がほしさにさせる取リ組

花の迹見合ィの尻をつめりもち
　百囀りも春のたわむれ

中能いどし眞實

第四編

末摘花みつの編は川やなぎのいさおかしくはらの皮をよれるすへはんの句となりけらし、倚四へんをさすへせんに、之より好の道に口なめずりして、みす紙とものし其はし書きを取のめすのと。

きようにやはらぐ初春

木の樣《やう》にして仲人は床をとり
無理に仕かゝると齒がかぶりんす
旦那はせいろうお次へは張形　(江島)
とめられた瞽女張形のお相伴
我《わが》すきにさせないと姿ヵさせぬなり
先妻の逮夜いぢわでさせたがり
仲條はならぬと宿ゞが申します
間男の道具一枚五兩づゝ
一人者へのこのおへなたび小言
みぢつがたお腰帶だと野郎云ひ
錢のなさ下女にびろつくやうになり
相應なへのこが有るで後家を立て
旦那樣過ぎねばいゝと猫の早太

俗座禪どうも氣ざして困るなり
（座禪するこ勃起し易い由谷本博士の
著書によみたり）
新世帯人の思つた程はせず
花嫁はゝちやけるに迄斟酌し
毛の生へる時分褻像がちと直り
剃《す》ッたのが切《き》ッたのをする憎い事
（剃つたの僧侶、切つたの後家）
歩く度つけ根の見える憎らし事
いかぬ事へのこは根ッ子斗りなり
（梅毒の爲めか）
へのこ正直外科がいぢッちやおへず
臆て居ると矢鱈におへる化病やみ

重寶な穴のあいてる相撲下女
御懇意の私《わたし》、何《な》にしにと陳《ちん》じ
戀のふみ臍といもじの間に置き
いゝさでなくちやアノ所置振がなるものか
今するか〳〵と怖くはづかしく
惚れ藥傳に曰くは何事ぞ
押入でへのこ拭てる怖い事
氏よりも道鏡はへのこの育《そだ》ち
鳶虱おいらじやないと女房云ひ
モウ懸取は來ぬと女房にかゝり
聖代になんぞや女房戸立《とだて》なり
湯に入ッて來なよ私しが罰《ばち》になる
（月經）

のり賣のころんだたちと車力云ひ

四ッ目や近所一ッぺん通り泣き

けつござれへのこござれと賣てやり

（陰間）

あの男瘡氣があると後家は云ひ

モウでけんわいと云ふのに御殿させ

ふとつて居んすといじらせる三會目

三會目ずつとぼつぼへつッぱいり

土俵入へのこの衣裳見ものなり

いゝ氣嫉へのこ天窓を上げ衆る

しやんとおやしなと女房のッかゝり

枕草紙の通りにすれば寒い

業平にさせぬは昔耻のやう

下女が戀ひとをり二たり三めの子

金ッ切り聲で廊下でくじられる

役に立たない言譯は仕《し》ずに來た

親舟へもみ上ヶのある坊主來る

醉た下女口を出したらかぶせそう

へのことも云はれず物がかゝるなり

干瓢もたしかにいゝと女房云ひ

（干瓢は芋茎の代用）

新造は寝つびをかくも知らぬなり

あいそうに上ッ開といふ女醫者

女房が來ると出て行く八九寸

上草履《うわぞうり》ぬぎちらかしてむぐり込み

大ナかつたであきらめが後家わるし

わづうかな禮義へのこへ手をかざし
（小便の時）
御遠慮は無いとおどける泊り客
旅の留守別條たつた一ッあり
神子をおぶッておやしてく罰當り
出合茶屋少しいきれをぬいて出る
百夜目は素股《すまた》をさせるつもりで居
（小野小町）
ふとい下女德入さまへ還つて來る
聟おかしくも張形へよしの紙
枕繪を覗て下女はけしからや
下女と寝た晩おそろしくもてるなり
三會目下女前垂を取てさせ

二ッ玉込めて夜鷹ににぢられる
新造のとりゑは何番でもさせ
本のおさへとりにされたのは五兩
嘘をやと下女あまたるい目付をし
席書《せきがき》のへのこを壺へ下女は張り
（オハグロの出る呪ひ）
いけねへひやうたくれと下女藏を出る
伴頭に釜をかすのは朝寝する
やつかいを股倉に持つ一人者
手と足で來るのを下女は待つて居る
己レがのは昔細工と局云ひ（張形）
男はひよろ〳〵におかつたるい後家
お長家ではけつをして來るふすま賣

おかしさは芋でんがくで相ばらみ
（芋でんがくさは母子共に犯すを云ふ）
御尤様と仲條後家へ云ひ
股ぐらで蟲酸《ひしづ》のはしる相挨下女
道鏡も浮世は廣い物と云ひ
よく〳〵のへのこ冥利は島田なり
（島田重三郎）
今迄の事を仲條水にする
守りが色たね柿の場でふと見初め
くやしさは下女五人目へくらい付き
（輪姦）
冥加錢お心もちと下女させる
せつない口說やうおつ付ける計り

小間物屋さんおまへのは高かろう
ひどい事下女三文で子をおろし
和氣の淸麿はへのことたてをつき
守りが色くだりを二本いたぶられ
お湯殿はもゝに白粉ぬつて出る
大ゝな張形を馬の內侍もち
（道鏡の母を馬の內侍と稱す）
たつた一ぱんさせたよと淺黃裏
女房やらんとすその襞かなし
いつまでもそうして居なと隱居もて
越前ものろりと出すとおそろしい
己レがよりづないとさぐる蔭間客
へのこ一本のぬしとなる耻かしさ

だん〳〵大きいでしたと下女は泣き

（輪姦）

本《ほん》のゝはどうであろうと長局

顔見せの約束女房けつをされ

おへるたび馬のへのこはへけるなり

アイわつちや小町さなどゝついと立ち

たあれにも云ひなさんなと珠数を泣き

桃色の上下後家のなじみなり

（下端役者）

通夜ふんどしを放さぬたはけもの

高尾も高尾一番もさせぬなり

せんずりをかくと北條とつかへる

（北條時政）

草ずりをむく〳〵させて出陣し

氣がひけて出來兼ますと新五郎

おりやうは下女ずつきずき〳〵

後家の下女穴ほりなどゝ深い中ヵ

又蛸に引ッたくられる胄形

尤な事張形へかん酒入れ

交合の節の藥と淺黄買ひ

男よりさきよい物と天狗云ひ

ちよつ〳〵と立ッ賁をする下女が戀

芳町でする水あげのゑらひどさ

（御殿女中）

今日は庚申だと姑いらぬ世話

けつをだんずる所だにびり出入

腎張の妾まことにへきゑきし
きん玉へ遠くへのこを牛は出し
きつい出しやうだとお針笑ふなり
惠美の押勝俗名はくつろ兵衛
（性格のハロマを罵る語意轉じて陰萎病又は性交遅鈍の者をも呼びしが如し）
うじやじやけた様に女はおやすなり
いかにわがきらひだとて靜泣き
弓削の道鏡參内と市の客
（昔は張子又は木にて異形のものを作り年の市にて賣りたり）
踊子はうぬ一存で二度おろし
女の痔まつたく前のひゞきなり

生娘の目にうわばみと見へるなり
（うわばみは男根を指す）
おつとりへのこで駈付け下女をする
女のをふりといふのはきついむり
踊子のばつちあすこがこはくなり
付合ひでさせたがなぜと聟へ云ひ
する度にちつとづゝ醫女金を貸し
なぜ割らつしやつたとにぢる守りが宿
大名は四五寸よごし風呂をたて
仕ようと思へばまさかさせない下女
下女だとてちつと口説かにやさせぬ也
篠をつく様にお乳母は小便し
お妾は其利のために腎虚させ

いゝ男へのこ一本で廻り兼ね
湯加減を操て見なと長局　（張形）
尤サ亭主のが落ち不義をする
今は何をかつゝむべき後家はらみ
下女が宿前出し地藏近所なり
吉原と芳町の間ィ蟻渡り
（蟻渡は會陰「アリノトワタリ」とも云ふ）
公家め等がやきをりますと道鏡
夢だにも知らず新造されるなり
僧正にけつをさせたと時平云ひ
（叡山の法性、道實の師）
旅だによ〳〵とて内義はめ
臨月の腹のやうなを乳母は出し

歌とするこにおわれると在五云ひ
ここ？柳子トアリ
連れて逃なよと二條の后云ひ
義朝も初手は操つて働かれ　（湯殿にて）
僧正は越前で猶ほ殊勝なり
おこるへのこ久しからず腎虚なり
床はいゝ筈四ッ目屋の女郎なり
（吉原の遊女屋の四ツ目屋に兩國の四ツ目屋を仄かす）
三十二相の中へ鮹もはいり
醉やしたなどゝ目元をとろつかせ
功能の通りじや四ッ目安い物
大黑を泣かせる程の智識なり
おこりてふくわしてへのこに藥味なり

芝の老僧へめしはつをもり付け
（飯初は飯盛女の初物）
あいて居る穴でも娘きずに成り
あたるもの幸に下女させるなり
出來合はおかりが低うござりヤス
（張形なるべし）
災いと幸ひの門ト妾持ち
出合茶屋すもゝの様な顔で出る
入かわる味方もなくて下女される
（輪姦）
持參をよんでせないのはぶッたくり
ふみ板がはづれて二人どさら落ち
（雪隠）

十分にさせるで女房あきはてる
馬鹿も重寶四ッ目屋を買にやり
くじらせた斗りならばと馬鹿亭主
たわけの辨としてへのこ二人ッまへ
出合茶屋耳をすまして叱られる
四ッ目屋で仕て女房に質の事
内中で拜むへのこを高尾ふり
支度金一ッのきずは割れて居る
弓削の母馬の内侍とおくり號
かゐとき《かへるな》仕たので息子きたなびれ
下女が戀大にあらバゝ大きすぎ
どろぼう〳〵と下女心變り
袴腰お七たんのうして當てる

かんざしや櫛やへのこを出して見せ
（小間物屋）
下女が湯具なめッくじりがのたを打ち
（吐淫）
茶屋へ來ておへたと隠居くやしがり
いけつびをふんざくと云ふ遣手婆ゝ
（つびさは女陰）
格外に大安賣を下女は出し
せな意見へのこをばかたきと思へ
天皇馬を呑むと見て倖を得る
（孝謙天皇）
まわりを取らばどうすると下女をつき
ぬしのでありんすが癒ませなんすかへ

口説かれて下女上ハ水をこぼすなり
蠟燭屋一本かいて立てゝ置き
比丘の行見せろと云へば見せるなり
一遍は瘡もかきやれとたわけもの
牡丹餅を喰はせた上に女房され
四ッ目屋の近所いく世《よ》は面白い
（幾世餅）
切落シされると札がまだ賣れる
此様にさせわせまいと女房云ひ
楊枝見世枕繪の序を額にかけ
あきれた娘おやかして見せなさい
づない物湯が二三合這入るなり　（張形）
張形は見るもいやだとずるい奥

如何に美くしいとて嫁まつばだか
仕は仕たがおらはらませはせぬと云ひ
じやも面に下女腕づくで二番され
見つかつて椎の實程にして迯げる
なぜ此處をかばうと遣手くじるなり
生醉本性違はず二番する
淸丸は至極小ィさなへのこなり
(和氣淸麿)
水むけをして女房をよがらせる
まけおしみ女房仕たくはないと云ひ
いゝいゝいゝ
さねでもゐやうかと官女苦勞なり
腹の立たぬは外科の玄關のへのこ
肉饅頭を食つたのが落度なり
(江島、生島)

あんまりうま過ぎた工夫は蒸籠
(江島、生島)
門院をひつくりかへしたが落度
(義經)
またぐらのかり込み石ッころでする
(湯屋の毛切石)
魂魄此處に止まつておへて居る
(腎虛「過房死」)
お妾は臍を去る事一二寸
(上付上開)
八日には揚國忠へ加增なり
(玄宗)
大ざつまくじるたしにはならぬなり
股ぐらで夜なべをしたて不首尾なり

次第におさみしくない男見え
着せたよと園《ハシ》の下女觸れ歩き
嫁のへのこをお袋が取り上げる
（芋田樂）
腫《はれ》物へへのこのさわる出合茶屋
けつをするからどはとんだ松ガ岡
紙帳で拭いたを下女は憤り
前斗りじやない後ろもと下女は泣き
何奴の仕業か瞽女は割れて居る
細工はりゆう／＼龜がへのこになり
（べつ甲の張形か）
石尊で聞けば不實な男なり
（懺悔話を聞けば）

多くの中でこなさんの子を孕み
死んしやうよと息子冥利に叶ひ
まくるだと女をおどす鬪の前
何奴の仕業か後家を高枕
晴天十日きうめいをする女（角力）
轉ろんだで大きな瘤が出來るなり
へのこを匂わせて淺黄叱られる
おくら子迄もゆるさぬは在五なり
アレとかとおきれる奴と後家は出來
赤犬は喰《ヒ》なんなよと南女云ひ
（品川の客には薩摩屋敷の者多し
月經に薩摩者はよく犬を食ふ、南女は
品川の女郎故兩方にかく）
只でもするやうに間男は云はれ

賓色の内で高いは五兩なり
笑ひとはそら言よがる道具なり
火を消してかへと其時瞽女の念
いたましさへのこ妾にばいとられ
心待ち下女ふんどしで二疋とり
此儀斗りは御用捨と養子云ひ
ざらにさせるを大通と下女思ひ
仕さへせにやいゝのに留と名を付ける
いゝいゝびやくがうの所ョへすても〇〇はらみ
毛の生へた尻を和尚は餅に搗き
五番すみ六番すみ出合茶屋
子心に乳母が負けたと思つて居
御腰ほど後家は出さぬと蔭間云ひ

能いが上にも能《よ》い様に四ッ目云ひ
かういたしや茶臼と妾上になり
よし町の居つゞけ本ゝの糞たわけ
諸人是を見れば犬がつるんでる
娘なれども味はいわ賓女なり（踊子）
おじきある世の中で後家面白し
とんだいゝものさと與吉まけおしみ
ちいさなハのこで間男座頭され
馬鹿らしう有りんす手をお退けなんし
ちんぼこをこうしなさいと蠟燭屋
せつなさに下女毛の巾へ灸をすへ
（毛虱）
さつま芋などで御用はころぶなり

へのこの生酔は女房嬉しがり
妙ナものへのこでするが鼻が落ち
（梅毒）
たへがたやとは上品なよがりやう
愛相に仕たのに持參はらむなり
隱居さんへ來てやつておくんなんし
何か付けては仕やすよと閨る下女
罷かさめつたむしやうにおへるなり
いつそなでゑすと新造逃てくる
業平の二十五の年ゞばゝあほれ
へのこをなめろと肴へ書て入れ
留守だから仕なとはひよんナ寢言なり
ため息一ッ口びるで紙を取り

町内で知らぬは亭主斗りなり
さむがしらと讀ンで嫁に叩かれる
（百人一首逢坂山のされかづら）
さよ姫が股金挺でくじつて見　（想夫行）
三ッ敷くうへが地者ではやるなり
雪隱で斗りたれるといゝ女
へのこのやうにしたものを御茶買ひ
（張形）
おふくろに養子やつぺし味噌をつけ
せないとは御卑怯様と下女が宿
おばゝへこ〳〵の氣あるでむづかしい
蝸牛の角のたのしみは長局
池の茶屋ねぶとへ針をたてに來る

めゝつてう四五人つれるいゝ女郎
息子の不得手地女と孔子なり
睪丸のあるにさせたが落度なり
四ッ目屋をつけてどく〳〵しくよがり
小便に起き付ヶ入に下女される
びり〳〵を洗ひ落して淺黄待ち
（長命丸）
他でころぶ分ニはとけつが廣いなり
行キつく迄はなへきつて居る夜還
わるいこた云ひあてるもの後家はらみ
てんつてん〳〵を聞き後家よがり
お内儀は七日とかぎる風をひき　（月經）
昔々あつたとさと乳母よがり

出合茶屋女は蛇なり男は蚊
（蛇が蚊を呑んだ様）
うぬぼれをやめれば外に惚人なし
色男ぐふにやたりぬと相撲下女
ことわりや穴さへあればさせもせめ
（小野小町）
けがすまいぞやとぱつちを貸してやり
仲條は後ろくらくも手間を取り
へのこをば片商買にけつや賣り
（蔭間）
いけづきな奴に佐々木の店は賣れ
（四ツ目屋）
きかぬのは新《あ》ラばつかりと四ッ目云ひ

立て居てさせるが下女は上手なり
下女が色枕かわした事はなし
時花《はやる》やついつ來て見てもぎう斗り
馬鹿太いへのこ亭主の留守へ來る
手綱がゆるいと帷子へ染みが出來
忙がしいかた手に下女は孕むなり
すべのこで皮文箱《ふえ》へ五本入れ（張形）
縛ろぶ度拾ひはせぬが貰ふなり
こう門をいため四手に淺黄こり
もつと仕たがる筈だがと旅歸り
人柄を能く棧敷でもくじるなり
（切落のみに限らず）
地べのこが嫉ひいけなき後家となり

無浦團で二分とはとんだ高いもの
（踊子）
あの○（原本鋏字）の命チも如何と宿はにち
大晦日へのこのおへるいゝ仕舞
本ト舟へ丸い女を賣りに來る（船饅頭）
弓矢取る身の悲しさは釜遊び
九族は皆海ばたへ迷わせる
（品川邊へ出家はしたれど俗念深く九族天にのぼらず）
らく書無用間男が書て貼り
股ぐらをよく取廻し金が出來
女のすごさ鬮取を持ち上げる
十六で髮おきをする氣のわるさ

姿の目見へ出して見せそうなもの
長局七度つかつて婀となり
後家ぱりへ大きな雜字をすけに來る
堅い後家股へめぬりをせぬ斗り
おり重なつて下女をするむごい事
（輪姦）
仕くつたてならねへにぴんしやんとする
無禮講おやかしたのがぶつさらい
樂しみ極ゝつて瞽女はくらはされ
衣通《とほり》は生へたをいつそ苦勞がり
凱陣に唐の女を仕たと云ふ　（朝鮮總代）
二役嫁のへのこ實はお袋のゝ　（茅田樂）
助平な畜生唐でもしくじり　（小西行長）

御褒美の出ぬ孝行を亭主する
とぢついた毛をひつ放す池の茶屋
四ッ目屋の試みに下女されるなり
狀を書てるのじやよと淺黃云ひ
度々怪我をさせても女房髮おしみ
（毛切れ）
夢を見てからはじめなと嫁律義
（申し子の願掛）
けんびきをつかみ立てるが三分なり
鮹も戸だても仕て見たと在五云ひ
傾城のよがるは小づらにくいもの
四ッ目屋を小性へつけるいぶかしさ
三會目身になる樣にさせるなり

おへもせぬ枕草紙を公家衆持ち

（淸小納言著）

越前は一生おさな顔うせず

あれにさせこれにさせ下女小袖着る

野良出會鴻雁つらをみだすなり

隂間を買たらだまつて居なさるか

一組は隣へおくる出合茶屋

孕まねへ仕方があると口說くなり

芝の客床が惡いか一ッする

（芝の增上寺の僧）

やげん育ちははすばアの物じやへ

急な事夜鷹を小判金で買い

三ッ星の店へへのこの手負くる

割レて居るからとつて去られもせず

すく時は何の氣もないみすの紙

下女が股ぐらに一分の出入出來

唐天笠はけつの毛も數へられ

（九尾の狐）

そちは二世あれは三月四日迄

（三月五日下女出替）

みす紙で拭けばなみだも氣がわるし

十月目にへのこの細工出して見せ

女房で味を覺へる大たわけ

お妾のきどくは文字が墓參り

錢の無い奴にはどつこいと藝者

明かけた屛風元直に仕舞たり

緋縮緬白い所をなめるやう

こらしめに聟はへのこをつめらるゝ

間男は一もくおすと遂く退き

囀ぶのも法楽にすりや猶はやり
(踊子、見るは法楽などゝ云ふてロハのこと)

面白い枕は二ッ一ッなり

張形はきつい恭さと女醫者

馬鹿かたい色師四位の少將なり
(深草の少將)

すきな乳母本屋を叱り〱見る（枕繪）

越前はゐみ劇ゞそうにおやすなり

死なぬ内から女房は人の物

時鳥袋の中で下女は聞き

綿つ子をへのこが開ゝみじめ也

玄宗の七日の痴話は世に殘り

毛燒して我身ながらも長く見へ

お釜のばく〱を後家は買に來る
(陰間)

御守殿にぶゐんのへのこつよ過ぎる
(ぶゐんさは新鮮のこと、生ま)

聟土手で是迄なりやさらばとて

茶臼など入聟存知ともよらず

婬のはねだり下女のはゆすりなり

よがる面見せたい物と與右衛門云ひ

糸の後家と遊うと乕母張り退ける

貸物によし町表裏ある所

けしからぬ悋氣へのこを切ろう也

床についてもおやしてる病なり　（腎虚）

女房の味は可もなく不可もなし

かつけの藥にと玄惠追まわし

多少には限らずと下女無心なり

しつぺたで蒲團をゑぐり〳〵泣き

人よせにぬり立つて居る旅の留守

とつさんは留守かゝ樣が來なさいと

口をきゝなんなと姿母へいゝ

其當座はづかしそうに嫁よがり

よがられた晩に頼員口走り

（土岐頼員は正中元年の變）

臭骸を二十四文でいだくなり　（夜惣）

かわらけだアハヽ〳〵と十三日

（十二月十三日煤拂後の胴上げ）

口說かれた乳母うな〳〵をしなと云ひ

菊慈童屁でも放つたかしばり首

消せば營くへのこには醫者七を投げ

どこの湯屋にも二三人名代あり

おれき〳〵にも有るものは皮かぶり

させるのを入れると相撲八癖なり

掃溜を下女よくなつておつ潰し

一子出家すれば藹頭がぬけ

男にはあがり下り《さが》のなんはなし

しなさつた朝はげんじらしいと下女

一度して息子は相撲灘にあひ

阿房宮らせつしたのがはきゝなり
（宦者）

もうぞうで出来たのもある四天王

頼光でないともうぞう見る所
（袋由の娘桝花女が夢枕に立って弓術を傳へた故事）

早く歸りなさいよお取上げなし

振袖に似合ぬ所はもゝんじい
（「もゝんじい」中年以上の女陰を云ふ「もゝんか」とも云ひ被髪の怪物なり）

天窓から呑まふとお乳母追ッかける

出合する上を雲雀は舞て居る

ぬく灰がよいと局の傳授なり
（張形を暖めるため）

亥の日から女房さへぐしくくらし
（十月上亥の日炬燵を開く）

先づへのこぬいての上と大家云ひ

六人のうち手入らずとどら男
（小町、業平）

張形へわたしや初さと惜い事

行平は鹽物迄も喰ひちらし （松風村雨）

十六の春から稗を嗜たやう

今夜はおれで仕舞ひなと女房云ひ

坊さまの買つていゝのは比丘尼なり

六ヶ敷つらで佛を轉ばせる

一人者もちやそびにしてつい寢入

こんにやくの如く夜這の初會なり

けしからぬ事は婆母が孫を產み
さか子產み其から茶臼とんとやめ
芋殼《ずゐき》をもおつりきに巻く柄巻師
ひきがへる立たせた様に下女孕み
すばやいが義經しじう疵になり
聞てもおへるやうな事侍從云ひ
（高師直へ）
初ッにおくさり遊ばして大騒ぎ
おつばめてやらぬばかりにして開《ひら》き
小間物屋是ㇾは修覆は出來ませぬ
入れるとよがるのは息子嫌ひなり
しり七のづ迄からげて總歸り
かゝと迄入れたと笑ふ長局 （張形）

鬨《とき》の聲だがと瀬田ひつこぬき
数千本へのこをかへす材木屋
間男の痔病こゝろ覺えあり
（交接の途中に中止するさ淋病さなるの俗説あり）
仲條は孕み女の股をさき
井戸端で身振が過ぎて下女すべり
仲條へ行くより外の事ぞなき
のみ込まぬ女だつたと公卿云ひ （小町）
夫婦喧嘩にばれを云ふ馬鹿亭主
染たものとて褌ばかりなり
（遊女ノ八判婆）
勞咳のもとは物のけから起り

べちやあねへ乳母のは栗のゐんだやう
ちんぼうへへのこむほんをすゝめこみ
居つゞけと云ふ内穢多が崎は落ち
（新田義貞）
一人り者タチツテトゆへカキクケコ
傘袋横を向き嫁はめるなり
合羽屋の摺古木程にけがすなり
五十ぞうへんしも早くさせたがり
ふだらくに二日へのこの山をつき
（十二月十七、十八日の兩日年の市「淺草」に張形を賣るを云ふか）
女房はねれたへのこは嫌ひなり
（原本　ねれたのへのこは）
御殿ものいつそ氣のへる程に出し

間男は仕て居る時分山があれ
（大山石尊詣りの留守）
枕繪を高らかに讀み叱られる
あら身一腰持參するうつくしさ
くらだこを和田義盛は聞き違え　（巳）
這はれるがうるさく下女は柏餅
御嘉禮だくぢれ〳〵と十三日
牛若が目がさめますと常盤云ひ
玉二ッきられたやうな長局
間男のしよりを付る神無月
げにまこと茶臼はへのこにもまるゝ
先づ今日《こんにち》はこれぎり出合茶屋
五兩取る元ト手炭代二百なり　（美人局）

艷書ゥは名代へのこ不出來なり
ふられてもしやにむに淺黄かゝるなり
仲條も佛具の內はこはされず
加賀きぬのいもじに妓王妓女おされ
（佛御前）
男の切ッはしを持つ長局　（張形）
間男の子と知らず伊勢松とつけ
いくじなさ乳母大浪を毛でふさぎ
出合茶屋仕舞はおつぺしよつて入れ
病ひさと相撲つれない評が付き
文左衞門傾域にちともたれ氣味
（紀ノ國屋）
おろす沙汰女房高見で見物し

遁い事何してじやいと淺黄聞き
アノ娘手入らずと云ふぶしつけさ
二階へ指をさし間男をかへし
たま〳〵の事とは云へどおさせ下手
後の親を親とせず芋でんがく
けつの恩命チ投げ出す關ケ原
（石田三成）
注文に五分大きいを御茶買ひ　（張形）
めゝつこもさん出して置くつばな賣
へのこの曲りそうなが三分なり
初產のちつと重いも道具なり
床のかたの御ふう松茸などを書き
女いかんとする其聲よし

里帰り話さぬ事は母聞かず

生物のやうに動かす小間物屋　（張形）

おき／＼の不機嫌下女は舌を出し

持参金しちりき程によがるなり

おふられ遊ばすげなと奥で云ひ

（伊達綱宗）

夕べもてたを女房にらりにされ

律義でもくじつたと見え腕を産み

（てのこ村の傳説か）

馬鹿を仕なさるなと女房おつぶさぎ

景物を見てから下女はさせるなり

利きますまいぞへと笑ふ聟の灸

がさ／＼と云ふと蜻蛉つるむなり

お腰元お胃でならいやと云ひ

快氣して間男衆へ禮に行き

老來子子供に似ぬはへのこなり

乳ッ首をひねるが座頭初めなり

待女郎晩はおらもと思つてる

假り家の手からはへのこのある女

雪隱へ二度來た蔭間なぐさまれ

信玄がみんななくなす大へのこ

亭主立往生をする美くしさ　（腎虚）

そう言つて先づ見たのよと出來ぬ奴

餘りさせたがるのも下女蟲のせい

大味になつてお茶の間縁に付き

殿様の夜這はずつか／＼行き

契情の夜遣は内の首尾がよし
御手洗《みたらし》へ紙を投げ込むふとゞきさ
女のは取る若衆のは借りるなり
褄《い》を見まひおへるぞさんげ／＼
（石尊詣の連中が川中で垢離をとつてゐる時）
仲條へぬいたのも來るふしぎなり
（陰毛を抜きたものは遊女のこと）
五畿内は仕つくし吾妻下りなり（業平）
池迄は手の屆かない奥家老
（不忍の池の出合茶屋）
女の股はすほめろと檢使いひ
どうしたか後家は後生をばたり止メ
場數の無い夜遣わなゝき／＼

三會目女郎に土砂をかけたやう
（死人の硬くなつてゐるのに土砂をかけると軟かくなる）
相撲下女へのこ出入になれたもの
またぐらにしつらひのある宿下り
寢起きから氣嫌のいゝはへのこなり
入聟の腎虚はあまり律義過ぎ
旅つかれ女房ゆるしつ引き放し
食《しよく》づいて來ると嫁から寢やうなり
はちす葉の眞中へ來て後家よがり
（出合茶屋）
武左曰く待かね山の時鳥
（武左とは勤番者なり）

信女の月を瀲《よど》ませる和尙樣
氣の惡いもの帶を〆てる女
寢返るとまた仕たくなる中納言
行平〳〵松風村雨
大年增のりつけ物の音がする
後家が來て踊子みんな嵯峨へ行き
大一座下戸は女郎をあらすなり
松永が爺を信長心がけ
鐘樓の棒はせんずりをかいて居る
へりはせまいけれど廣くはなろう
もう己ㇾはいやだと下女を替り合ひ
（輪姦）
村嫁入馬がおやしてどくを閉き

無禮講衣通姬の給仕なり
あたり見廻し繪の所娘明け
下女あまりこそぐられたで一ッひり
亭主下たから其のおつよ〳〵
（茶臼）
おかしさは老醫眼鏡でへのこなり
入道涎をたらし〳〵たすけ
知りきつて居るにせきれいい馬鹿な奴
下女が宿かわらけ町で覺えよし
大つぶれだと仲條へ藥子云ひ
おやしたりけりにして置く一人者
袴着の頃が道鏡へのこなり
（五歳の時袴を着初める儀式）

第五編

誰が肌ふれむと詠じけむ末摘花の殘英を掻い集めて玆に第五第六の兩編を撰す。安永老人の志をつがんとするに在り。則ち句は寶暦より天保に亘り各編熟れも六百吟。その渾然として年代を別かたず部門を分かたざる等みな一に古式に據る。讀者深く沈潜してその妙境に味到するところありて可也。

前四編に出でたる句の再現したるもの或はこれなきを保し難く。此編中前後に重出せるもの亦これなしといふべからず。偏に穩便の御用捨あるべし。

亥の春

後の

似實軒醉茶しるす

あんどんを消していふのが本の事
守にこそあげましたれと宿はいひ
丹前の湯ではそのころみなのぼせ
若後家の今にも知れぬ口をきゝ
わるい沙汰きいて塗桶さげに行
不ときさ近しい中にその氣あり
十有五にして教へねどこゝろざし
よい年をしてとは事の不首尾也
いろはからはじめましたとどら和尚
いろ男してくれろには困るなり
女房も岩戸をひらく伊せの留守
とんだやついぼのあるのと願をかけ

いとこにもしろようくると旅の留守
慾ばつた下女一番でもうねだり
きついむこ鬼千匹もわるき也
大ちがひ芝の谷中のいろは也
外聞のよい奉公とむこ思ひ
人間わづか五寸ほど入れたがり
とつときの臍も女は持つてゐる
色ごとにかけてはまめな男なり
とこやみでひらくは下女の岩戸也
あれさもう牛の角もじゆがみもじ
ま男をするよと女房こわ意見
女房はそばから醫者にいッつける

入れておくれが相がさのぬれはじめ
色ごとの奥義もにげろ〳〵也
あのいほをこゝの蛸へと大やしろ
一もくおすと白がちに下女つくり
あらすりこ木といふむこはめつたなし
娘もういくのゝ道も承知なり
新造と白牛酪に入れあげる
くたびれる箸宿六が七ばんめ
新枕七十五日耻かしい
二番目はいつそよいよと宿下り
なぜだえと武藏靜になぶられる
大丈夫むこ親ふねのかぢをとり
おツかさん坊もいくよと目をさまし

〜〜〜〜〜〜〜〜〜〜〜〜〜〜〜〜〜〜〜〜〜〜〜〜

お内儀へ口傳が醫者の極意なり
ゐぎたなき君にいん居は買あたり
ふせ鉦のはねかへるほど六部おえ
六たいの利やくで女房ねれる也
ぎり〳〵のとこで常盤は色をかへ
母安堵息子も嫁も月を見ず
里遊とはおのしかと母文を出し
色の世ととなりの茶屋の婆あいひ
あり物にむこちよつ〳〵と事をかき
振新を買つた氣でゐる柳下惠
よりまさはあやめ早太はかきつばた
醫者のいふ事を守れば夜が長し
血迷つたなどゝ間男いひわけし

六あみだ女房羽二重もちのやう
ばあさんは汐待をして舟をこぎ
張形でおぎなつておくかたい後家
べつ甲はいつれ毛のある所へさし
馬鹿をしなさんなと紙燭ふッとけし
やれまて女房早まるなおれもいく
むこ消も入たき親子げんくわ也
玉ぐきを娘にきかれ母こまり
もめるはず娘の小ぬか母がなめ
風ふかばどころか女房大あらし
若溪のやうにや高尾はほりわれず
女房留守七十五日生のびる
大佛の鼻ほどあると奏聞し

鼻いきの序破急新造傳授され
やゝしばしあつて話がまたきこえ
人面獸心むこ殿やむこ殿や
重なつてゐるで検使のにが笑ひ
ゐつゝから深い中とはきつい事
六あみだ後家は佛のためにぬれ
ふり袖のもげそうな場へ母のこゑ
穴もないくせにおもかげをしむなり
馬鹿につける藥を兩國で買
あの事の話になると餘念なし
蛤をすてゝ命を拾ふなり
よがり泣には氣のひける新五郎
氣行の情を能く眞似るのではやり

露とこたへて消たきもぬれたあと
たがためにぬれるか後家の六あみだ
あざのある子の母おやの美しさ
鼈甲のきれ味も湯に加減あり
いくよ餅どく／＼にしてくんで出し
鼻は小さいがと新造泣て下り
つじつまのあはぬ話をおやぢきゝ
間男に一言もない世話になり
教へられ給ふと橋がみツしみし
それからは夜半にや君となほむつみ
馬鹿楽じゆでこんにやくでやけどをし
鼻いきもしゝのやうなり麥ばたけ
新枕かくごの前をやつとあけ

さくやひめ三國一のさねがしら
まろがたけすぎにけらしなあらをしめ
傾城の誠を母はうろさがり
間男がだくと泣きやむ氣のどくさ
聾の顔番頭色師とは見えず
がになつて女房腎虚じやないといふ
土手を行くらんとは女房歌人也
陰陽のふいごの風は鼻へぬけ
御隠居のお妾は氣を長くもち
三番で嫁はがツかり六あみだ
せいばかりとは母親のおろかなり
鼈甲は上下にさす道具なり
日本が一とこへ寄る氣味のよさ

女房を持て朝寝にきずがつき
女護島惣開帳はみなみ風
肉屏風のけて法眼さじをとる
陰陽の和合をかくす雀がた
蜆じる隠居ときぐ〵薬くひ
行平はうしほ仕立の口もすひ
馬鹿もあるものよし町へ大一座
月前の雪難題でおざりいす
馬かたは一ぜんめしで腹だいこ
行かぬかと思へば下女をはらませる
あくる日は惣身のいたむ新枕
いゝ女房きかぬ薬をせんじてる
山伏をいぢらせとつこ握らせる

陰陽の祭は四季にかゝはらず
おつぱめる事を知つたで母苦労
牛のよだれを箱せこの紙でふき
朔日の雪を晦日の月でかき
氣のきいた下女はてゝある子をはらみ
番頭は子に行き寅にかへる也
ひり〳〵とするは小娃の新枕
女房は外の毒だてばかりさせ
こや喜助握つて見るに扱こまり
にきびのつらをふくらしてふられてる
氣の毒な事癡ものを母自まん
底ふかき海へ水牛度々くゞり
風の前日に燈火は消えるなり

仲良にきけばやつぱり下かいなり
荒神のたゝり三ツ子を下女はらみ
とるといふ晩にとられる恥かしさ
房事とは何の事だと女房きゝ
錦木を見つけて娘内へにげ
二百ないやつは三枚橋にまち
枕絵はそへてもしちや値にふまず
牛は牛連れしてやつてしてもらひ
神代もきかずどらをした歌人なり
婚禮の月からといふ恥かしさ
火のやうと木のやうにする新枕
女房も絶てしなくば中々に
飯盛がねぼけて二百棒にふり

時鳥夜聞いたのは嫁かくし
ぼた餅をすりこ木でつく恥かしさ
ほれたとは女のやぶれかぶれなり
うき名立つ時もあつたに干大根
あなどつて座頭の女房おさへられ
馬鹿あそび後で障子の穴をはり
傾城は生蠟女房はだらう也
きいたゆを女房たちまち水にする
盃などりもうちつとのが音頭なり
こは珍事小町に臍が二つあり
ことづめをちんぼうへはめ叱られる
女房にほれると先が近くなり
白酒のつぼは呑まずに大蛇はて

弓削形も頼朝形も値が高し
馬鹿らしいいやよと暗い方へにげ
再吟味白状をする五月目
蛤の出るまでまくる汐干がり
足よりも手の出しにくい新枕
しに行くを知らぬ女房は佛なり
古風なほれやう一心命なり
上もない難義へのこがちぎれそう
鶴翼にはだけ長蛇の敵をうけ
辨天の岩屋じく／＼する處
女房の千秋樂は髪をなで
器にしたがつて牛の角を買
張形舞を見さいなと主馬は醉

播磨もの相撲女とひとつ鍋
馬鹿をしなさいと紙燭をひつたくる
白無垢をぞつくりぬいで蚊やへ入
御二男に下女初物を奉り
西王母毛のあるもゝも一つ持ち
孕ませた奴はとつくに陣を引き
よい事を教へてもらう耻しさ
夜のあけぬうちに角力の二番取
たゞ鼻高きが故に貴とからず
鼻いきを考へ姿ねだるなり
しさつて考ふれば女房が徳
手のついた下女に女房は目をつける
ふられたといふに女房聞入れず

醫薬のいやすべきなしほれた病
すり鉢の高上りするとゝろ汁
二十軒どちぐるふのが一旦那
傾城はとつぱづしても恩にかけ
戸まどひをする筈先が戸立也
賞美する程初物に味はなし
蛤も桑名このごろ生ゝでうり
間男を知つて旅だちにえきらず
どらになる前あの娘この娘
茶座敷と湯やは道具のほめ處
燈心はひをともさせるためにのみ
殿さまはすばやい方と局いひ
まづい事茶屋への義理にほれる也

こびついてゐると女房は機嫌なり
鼻いきに笛の音のする持參金
業平にさせたは耻にならぬなり
紐打に太皷をたゝく居候
ふといやつ人の女房まで泣かせ
運は天にありぼた餅にほれられ
突出しはいくのゝ道をとつぱづし
つきあひも久しいものと女房いひ
殿さまをよい〳〵にする美しさ
腎やくをなめて神農またおやし
泊り客近所ではもう何のかの
本地垂跡客の床間夫の床
水くさいはず蛤はむし返し

鼻いきのこきうふいごの仕かけ也
浮かれてる顔が見たいと女房いひ
分散のもとは戸だてに喰ひ込
見世にゐてくれろと土手できねんする
とめ女もめん〳〵の別れなり
買物は裏白根松女郎なり
白酒もとしまの方が味がよし
物好な見立顔よりちゞれツ毛
六味丸のんでる傍にいゝ女房
だいてねて毛へもさはらぬ柳下恵
たつた二度行つたを女房どらといひ
戀むこの行かぬ先から地黄丸
早い筈猪牙に帆柱たてゝ行

ちよんのまは地下を羨む緋の袴
地紙賣おざうが戀のかたき也
中條の引ふだおろし値段なり
中條は綿の師匠へ五枚なげ
御殿もの湯がいてくへばあてられず
突出しは七十五日客が來る
蛤が雀になると寢るのなり
どんなのへ行くえと女房きゝたがり
ほれ藥佐渡から出るがいつちきゝ
闇夜にともし火殿樣夜這なり
何ぜうの事やあらんと土手でいひ
ふられたと聞けば女房も腹をたて
お妾になるは一どらうつてのち

この事のみは御自身の御しんまく
此くらゐだが上げるかと市の客
灘をこぐやうにのらせるとしま也
ぬれ幕の下女鼻いきを荒くする
肩衣で見なさつたのと新枕
つらあてに女房も里へ居續けし
花筒を世にある時と後家握り
くらやみでひよんな旅籠を二百出し
のみの立て損相かたが石佛
義朝とおれとはどうだなどとぬれ
その分に差置きがたき泊り客
七十五歳初物もまだ喰ふ氣
その當座ぬる湯もしみる小蛤

がたくとふるへながらも嬉しがり
機嫌を取ると女房ゆだんせず
女旅ねれて鶴見はいゝ泊り
村出合道ろく神をおしたをし
豆ふやの夫婦それからそれになり
市土産娘貰つて投り出し
傾城のとしまくれば新造なり
下女へはひ先があるのではひもどり
萬治以前はどら打が湯屋で出來
伶人の後家鼻いきも呂律也
花を見るつらかと女房過言也
ほれ藥黑燒よりも生ゝがきゝ
干大根嫁菜の猪口へ入れたがり

臍の下萬民之を賞翫す
鼎より珍事しびんがぬけかねる
此人にしてこの病へのこなり
旅歸り女房とろゝの待まうけ
とぼさんとする時話立消える
ほゝつきをのませなつたとどち狂ひ
蛤を雀へ入れる待女郎
新枕からすが鳴くにのつてゐる
こわい顔したとて高が女房なり
土手の草ぬれたで馬がすべり込
ふとざほでとしまのかたるふるへ聲
中條の引札で下女くどかれる
左樣では逆と奥樣おいやがり

女房の留守も中々おつなもの
業平は蜆ッ貝であぢをしり
おはぐろの張札下女の筆意なり
せうかうの順にと笑ふ大一座
にえ切らぬ蛤むりに口をあけ
松の位をふんばりと女房いひ
南無三寶荒神松が文をよみ
ほれ藥十日過ぎても沙汰はなし
御新造の戸立に下女の明放し
いゝかくし所にあまは氣がつかず
うら町で嬰子重荷をおろす也
あの後家と大家そも〳〵からの事
お祭の番組をする大やしろ

音羽町づか〳〵と來て袖をとり
何どきに限らず女房承知する
飯盛はついとつぱづし汁を出し
よく〳〵の事か夜這は毛をむしり
門の女郎で通ふ客はなし
初午の頃から土手へ草がはえ
のつきつた御いしや腎虚と申しあげ
小式部にいくのゝ道はちと早し
さかさまな事と女房上で泣き
せめられて下女留守の事ありッたけ
ゐいやつと夜這は足へたどり付
細見を見てこいつだと女房いひ
女房がたこで亭主がうなり出し

盆をどり土器賣とすれちがひ
地紙うりくされな文もことづかり
さて其次の輕わざは女房うへ
をどり子に踊れと留守居むりをいひ
のるものは落ち踊るものころぶ也
どろ棒のやうな男をかあいがり
仲人をこよみでたゝくお茶つぴい
赤坂は武家よし町は出家なり
水むけはさんざへらした女房なり
一ッかどのどら口々へ人を出し
燈心を誰にきいたか嫁はのみ
中條で發端からの事をいひ
そら辭義をするなと亭主下になり

あれ計男かと母じやけんなり
薄より月見の早いお茶つぴい
くどき損御貞女さまと手持なさ
闘塲所はくらはせるのが暇乞
お竹どん拜むからとはくどきあて
女房の二本道具はふてえやつ
としまの馳走白酒のやうに出し
中條でする開帳は百年目
ありつたけ笑つて茶臼かりてくる
轉ぶはず大きな坂の近所なり
心地れいいならぬは男ほしいなり
きゝ酒のきげん櫓へこける也
出合茶屋おつけ澤山そうといひ

奥家老役に立たない男なり
洗たくのそゝう內陣拜ませる
ねごとにて女房ひる行く事をしり
すりこぎのしづかに廻るとろゝ汁
御戶帳をおさへてあれさ拜みんす
中條の供には過ぎた男なり
茶臼禁物逆さ子を產んだ後
賞れそうな噓はなしかと留守居同士
ひよろ〱と男めかけは追出され
深川へ行つて來るほど長湯なり
毛澤山無そうじうばが奥の院
品川へ醫者で行くのは古方なり
ふんごみでよもやは女房ゆだん也

家内安全女房を朝直し
三十九もうこもぐらゐやぶる也
何とでもおつしやいやしとちゞれ髮
上にしたそうで夜中に嫁笑ひ
傾城で忌明けのすむ大一座
平六で聞けと船からよびにやり
男妾の氣でゐなとむこにいひ
裏表すそつぎそへて一分二朱
內陣へみすをあてるが大尾なり
くどくやつ吸付けながらにじりより
內外で帆柱のたつ袖が浦
一本が三千人の夜食なり
梅若やいゝ賣物と女房よみ

出世する下女ちよんの間へ召出され
立臼を茶臼にしたでもてあまし
賣色でなくて三味線まくらなり
辨天の客はこぶしにたゝみだこ
みすを丸めて入れておく奥の院
三つぶとんおやぢは買はぬ様子なり
狆がほえると女房をなでまはし
姫君もいゝお道具でおのり出し
茶臼をば物草太郎案じ出し
つれてうたつてくれおれと新むげん
大一座くじには勝て一人ねる
駒下駄で出るとそこらでころぶなり
三角へ丸と四角な客がくる

内陣を下女は紙燭で拝まれる
言語道斷おやぢへも出た女郎
おやかしてゐたで戸まどひ理がたゝず
虎の泣くこゑ十郎の外知らず
中條の大豊年は闇どし
四つ足を見つけた女房角がはえ
わるふざけ地獄の釜をかせといひ
知らぬが佛御地内で地ごくなり
遊ばされませと早速ころぶなり
赤羽の鳥居をこすと醫者にばけ
うしろから拜むと廣い奥の院
お姿のやうに奥様もちやがらず
鐵如意の如くおえるに所化こまり

ぼた餅も初手の一つは面白し
新造は干した大根によりをかけ
これはよいお道具と外科ながめてる
そつと堀りなよたどんだと女房いひ
いゝお茶の間に殿様はうかされる
毒になるやつが煮てゐる藥喰
市土産おめへの程と下女ぬかし
それ地獄遠きにあらず隣裏
をどり子に四五十上で氣のわかさ
芳町は尻へまはせと大やしろ
さはらねばなほたゝりあり山の神
帆柱へさがみは舟をおつかぶせ
灸點とあるは地ごくの道しるべ

ころぶのも法樂にすりやなほはやり
神明を拜んでゐるにもつしもし
鳳凰は三分孔雀は十二文
料理番こぢよくをわつてひまが出る
何よりのみやげ奥さま御ひろい
とんだやつ親をのせては子をおろし
小人閑居してやたらおやしてる
極上は臍を去る事遠からず
女房の持病さし込むと泣出し
運めしをとろゝで二人くつてゐる
そも／＼どらの始まりは花見なり
間男もかりそめながら二度目なり
戸塚立とは見えますとぎうはいひ

豆腐やの女房その手で豆をとぎ
毒だちの數に女房は入れられる
もし腰をつかふ時ゝば平癒せず
よく轉ぶ聲だと留守居ほめるなり
帆柱を立てると女房かぢをとり
ちよんのまはふき合はさずと社家の嫁
地ごくの罪で極樂へ送られる
りん病のくすり時ならざるをする
三十ふり神がお留守居をばかす也
大一座どこだ／＼とお床入
駒下駄の雪見にころぶ奥二階
岡場所はこれがいやだとうろたへる
親左内事は老衰つかまつり

しんぼうの棒が時々おえるなり
火の車女房地ごくのつとめなり
ぬれの幕下女立つ事も出來ぬ程
ころぶのはみつじひくのはよつぢなり
忽然としていかるものまたにあり
よし町で御さい線香折れといふ
手入らずのばゝあとかはる花の色
左右がてうちん眞中がすきとほり
直助へ落ちたと綿の師匠いひ
お開帳するは娘のきぞうなり
越前は肥後の加勢をたのむなり
わり床の地しん隣でゆりかへし
地獄遠きにあらず新道の黒格子

夢ばかりなるたまくらに下女はらみ
藥種屋の近所へ留守居入れあげる
しかれども豆の報謝はお竹せず
なさるともいはずにお手がつきました
若後家の不食頗る珍事なり
何をたねとて戀歌をばよんだやら
土器の豆では馬の間におはず
顏見世の宵に出かけてくじられる
四海波靜まるとまた大地しん
當時は兎かく一ころび二ころなり
かつころるにしたがつて勢さかん
十九だといはぬとお手がつくところ
若後家で七日七日のにぎやかさ

女郎のかはらけ疵に似て疵ならず
早乙女をすゝいでは出すかるゐざは
年こしに十二の禿なぶられる
片月見だあなと母といぢり合ひ
うつばりを初庚申にひつちばり
陰陽のしわざ地震を度々ゆらせ
毛をぬかぬばかりが藝者地もの也
輕井澤そんりや〱と持上げる
料理人などゝ輕子はなまぐさし
蚊を焼いたあとを女房にいやがらせ
辨慶と小町は馬鹿だなあかゝあ
女房に宰予寝まらを度々とられ
花筒を握つて義士の後家歎じ

庚申を嫁のきくのは耳にたち
芳町へ行くにはまねをせずとよし
赤壁の鉼りん病のくすり也
大珍事ぬれの幕にて下女氣絶
専らにはやる藝者は車扁
奥方もなまねれになるうらゝかさ
その間御茶餘義なく周茂叔
お湯どのを出ながら前をよく合せ
彼の後家へ和尚桂馬とうたれたり
火火出見の尊にこれは恐れ入り
若後家にずゐきの涙こぼさせる
ぬり桶へかいてくどけば指でけし
蛤におはをふかせるどら和尚

女房にへつらひ過ぎてけどられる
轉ぶ看板兩そでをふまへそう
芳町にござるたちかと納所いひ
かはらけもくどき落すとわれる也
とうまるにのるべえわさともの師いひ
かのえ申覺束なくも嫁承知
美くしい神子打わらのやうになり
芳兵衛といひそうなのを後家は買
かげ膳のおろそかになる事が出來
女筆には似あはぬものをかねのぶた
大一座やきばの分も二人あげ
音羽のこぢよく風車とつてにげ
轉んだ子泣き出すでなほはやる也

若い後家和尚しば〳〵おもんみる
こゝをふさいだ庚申はなけれども
よし町へ行くのは和尚たちのまゝ
おつかぶせられたといはにやつり合はず
不動新道にしばりの月がこひ
うつむいてかくかんざしはものになり
たちばなをふところにして二分とられ
醫者に樣かへるはまだも律義也
てれつくで晩もたのしむ神樂堂
よし町でだかりあふのは不首尾なり
圍はれは仲人がまづ毒見をし
下女出合紙は上田かあさくさか
かみなりの落ちる拍子に後家も落ち

ぶざまなるものふけ過ぎた柏もち
貝合せいづれ女のあそびなり
夜軍はなぎなた疵を槍でつき
十ヲばかり大きな袖でかくすなり
桑の門から杉の戸へ通ふなり
むごい事娘川竹わりにされ
若旦那様とかいたを下女落し
庚申あくる日きいて嫁こまり
神樂堂一寸一ぬれ十二文
四郎兵衛の闕でかげまはひんまくり
すきがへし寢ござへはさむ心まち
かみなりのおかげ初めてだきつかれ
のゝ様を二度請合つて銚子なり

墨染のお身だはぎゃうの過言なり
かはらけを俵藤太でやつとわり
するりやうをして若後家をくどくなり
芳町で釜のなるのは吉事なり
夜軍の陣はつい立すゞめ形
初夜這下女は小聲でおめでたう
觀音の通夜とは息子新手なり
まゆ墨のしわ御喜悦のもなかなり
霜天にいたゞき二十四文とり
かくあらんとは思ひしが女悅丸
まだ俗がおとなしいよと旅送り
わり込んでくんなはやすい女客
大きにお世話われやうとはえやうと

生酔になつてかけまを一度買ひ
勘當はあふぎでぶつが故實なり
提灯までもちどんでる寒念佛
かんざしを二三度かりて試みる
悠長な夜遣まくらを持て行き
女房は小夜の中山うまれなり
折介の握りこぶしに聰はそれ
帯をよこせといふ内に日が當り
石塔の赤い信女をそゝのかし
その時に女のなりはくゝり猿
近い内ごんせと後家を送る也
つら／＼おもんみれば芳町は損
二の膝をふんで夜遣のにえきらず

とむらひの歸り泣くのに買あたり
拳ほどあるで夜たかをのり出させ
月夜はものを思はする吉田町
兩國の徐福藥を買ふ氣なり
芳町の穴に後住はきもなけし
帯ひぼをといてつき合ふ三會目
極すまぬことはじんきよで遷化也
神代にもだますは酒と女なり
いけづきへ佐々木をつけていなゝかせ
さなぎだに花嫁ねごい盛りなり
呼出しのとりえは床へ早くくる
よきかなに七福神もあきれはて
蟲屋はおやしたやうに腕を出し

七夕は川を渡りてぬれ給ひ
芳町で和尚せん香手向けられ
九十匁も二十四文もおなじ夢
間男の不うん夜盗の方へおち
珠數さらさらとおしもんで後家だまし
なけの情を二十四でひさぐなり
宇多源氏奇々妙々の藥なり
あら不思議花嫁とんだ巧者なり
天の川秋のかわきのはじめなり
玉子酒ぶら提灯に弓を張り
蛸と見てあたれば先はあわび也
鼻いきでその能がきをふきとばし
よまい事がんにしくどく目をねむり

根を押して聞けばねぶとは横ね也
大男思の外で嫁あきれ
木の端でほる大黒の腹ごもり
外面如菩さつ内陣は蛸やくし
旅の留守いはれついでに皿をなめ
おやおや旦那様がと下女小聲なり
そらわれも一寸八分小觀音
そら鍉でゐながら尼の口がすぎ
今時の僧は大黒ばかりほり
下女ある夜大根でしほり汁を出し
うぬが女房と思つてるたはけ者
開運を女のねがふ蛸やくし
黒鯛をからしで旅の留守に食ひ

つらあてにしてはまだるい空ね入
朔日をあてとは後家の不覺なり
菜畠で莊子の夢がつるんでる
そこはかとなくかきくらす一人者
天神の裏門でうる通和散
目でころす罪より深しちらと見せ
よるとさはるといぢり合ふ中のよさ
あは島の猿といふ身であれいつそ
およしは高く遊ばせはそつといひ
こわ〴〵こぼすはづかしの森の露
わたくしに度々させて河岸へ落ち
しんかうに猫の水のむ音がする
足音によん所なく肩をもみ

おれまでゝ幾たり目だと中のよさ
手が一本邪まになる夜の面白さ
早くお國へ歸へしなと妾いひ
大持參ね小便などたれるなり
本ぬりの杓子は見世のかげで賣り
海上禪林の前からいしやになり
門院は入水の外にぬれ給ひ
どこをどうするか毎あさちらし髮
おきやあがれなじんて見たら泣上戸
なれツこになつてまへだれしきやせう
門口でする御禮は若い同士
添乳してゐるにひよ鳥越をする
本ぶりに下駄とは君のぬかり也

大門の前も日月遅いなり
古近江でお妾つうんつんとひき
湯治から病のかはる若旦那
ついぞねえよしなと新造目をさまし

第六編

雨の耳ふさいで守はなぶられる
わづうかなひもをとくのに二兩出し
しやうわるとかむろそばから才はじけ

かさねては間男をせぬはずですみ
わたしをばばかした氣さと女房いひ
よく〳〵のたはけ地獄の釜をだき
二日の夜波のり舟の音をさせ
心細そうなたちかと伊せの留守
性わるのぢツきに知れる神事也
來た月を入れてはつ〳〵ぐらい也
突出しの一日二日はれまぶち
今夜いくやつもあらうと芋をくひ
床花の禮に夜一よつめられる
水餅のやうなを女房みやけにし
一ツ宿で五十二類の外を貰ひ
遠くの亭主より近くの他人なり

突出しは素人向と息子いひ
寢かさない晩案の定月のこと
傾城につめられおやぢにはぶたれ
知らぬ事指の小切が夜具に成
よく聞けば猫の水のむ音でなし
細工場へ大工道具をみなはこび
元木にまさるうら木なし根まで入れ
御代參ころんで歸るせわしなさ
させべき時にさせざれば咳が出る
試みにつめつて見れば無言なり
異香馥郁としてもし寢なんしたか
練供養には女房を參らせる
今西行は銀ねこを買に行き

お前のが發頭人と内儀いひ
お局の態も牛若相手なり
餘れるを切つて不足をかへり見ず
山里はふす猪の床の出合なり
もや〳〵の鬪をゆるして五兩とり
案の定去られたあとへ年が明け
張形で夢中枕も片はづし
むつ言の中へ油をつぎに出る
向ひ風嫁合はせても合はせても
村藝者二百もやるとそべる也
麥のかげなどゝゐろりへ背てみせ
水くさい筈蛤はむし返し
瀨戸物のやうに息子は鬪たゞし

いくのゝ道を知らぬのは小町なり
なに親をだましませうと息子いひ
初午によるたゝくのはおとな也
長局工面のいゝは龜にのり
仲直り木の女房の臂になり
それだから二百目つくと仲人いひ
本性を逢へずいツちいゝへさし
よい事をしたげなと守なぶられる
心中をざつとするのは手だてなり
行平は五風十雨ときめたらう
して貰ひたひともいへず四火をすえ
をしい事あつたら息子律義也
たばねたらうばは五本もは入りそう

とくしんのむすうふゝんと笑ふ也
くじられた後かも知れず春の夜の
移り香を胸にたゝんで嫁しまひ
肩上もおりぬに尻がほころびる
母をだまさせては神の如くなり
野暮の知らない拷問はうつゝ賣
ばつたばた亭主のかはる美しさ
濱松の生れで乳母は賞美され
鰻賣女房をなぶり〳〵うり
びは一つ喰つたがうらのしるし也
しのべとは娘づぶとくなりはなり
梅干は新造のせきにはき出され
どこの國にかとむらひに居つゞけさ

後の月生きたいわしでのんでゐる
ころびおれやいと御留守居大ふざけ
取りほした上で間男よばりする
丸のゝ字筆意をつくす三會目
手ぬるさは承知するまでくどく也
具足櫃のはたぼの出た男なり
首ツ丈はまる穴とは見えぬなり
けら〳〵と笑ふ娘は成佛し
大くぜつ膝立て直し立て直し
親たちが野暮だと話す藥とり
月やどるらんと其夜は休み也
うば豈寢あな恐ろしや〳〵
どうかのせそう船宿の娘ぶん

かんざしでさす出格子の雪の寸
くどかれてちりをひねるは古風なり
野暮なやつふられた事をひしがくし
世間にも間々あるものと養母いひ
居續けは二寸切られる覺悟也
亥の子からかいゝ所へ手がとゞき
しん以ておえるに困る居候
二度目には月もおやぢもすごく見え
極難儀くどいたあとで泣出され
よく嘘をつきいす舌とくはへられ
ひやツこい前髪やぼの知らぬ事
大吉のみくじで不時の宿下り
やれ障子つは者どもの槍のあと

はい名のないのを遣手うれしがり
こらへしやうなくて盗人はらむなり
やうじより娘柳で賣れるなり
二人とも動くなと石かつちかち
お祭りも渡りはじめは橋の上
松ケ岡すりこ木きずを受て行き
よいものはと枕草紙にありそうな
無理に春畫のまねをして筋違ひ
まんぢうへ抜身ぶつりと突とほし
才藏は氣のいくやうな聲をする
折ふしは毛も引かせるで射手がまし
松茸の食傷をして嫁は吐き
どらな子を阿保親王はふたりもち

大敵と見て恐るべからずふまら
夕顔をまくらにてゝら引ばづし
古來稀豆を喰つてる鳩の杖
指二本額へあてゝ下女はにげ
なされたであござんしよと下女が宿
賣物は毛をばむしつてよく洗ひ
三分のもわたしがのもと下女ぬかし
お祭りの渡らぬ時は兎角おれ
五兩けんものと間男ぬかしたり
繪そらごと腕よりよほど太くかき
舟底のまくらで客の枡をとり
丸山の女郎和漢の味を知り
藥研なりしても藥なものでなし

山伏はとつこをのんでへどをつき
土弓場の小町穴目をねらはれる
押入で聞けば亭主と又はじめ
まんぢうに二種ありどれも命とり
才蔵がのり地になると嫁はにげ
下女が白状大ぜいのそこねなり
うツすりとはへて娘のおもへらく
毎月のことをごぜよくしんまくし
姉むことよもやは母の手ぬけなり
婚禮のあす外科をよぶばからしさ
うばこゝはもゝんぢいかと足をやり
姫君の馬術はうばが免許也
諸色高直けころでは水を出し

帆柱の根草も石でたゝき切り
味まではかゝぬ雨夜の品さだめ
ふと棹で後家をなかせる三の切
車がゝりがいゝわなと相撲いひ
鐵砲で二百おきなは二ツ玉
無禮講油障子もおろかなり
舟を動かす一本の棹加減
お千代舟沖まで漕ぐはなじみなり
初午の頃から土手へ草がはえ
をかしさは下女も情を賣る氣也
極内で小町も一度外科に見せ
けちた晩無言の行に買當り
そのあした下女ぬつたとは〳〵

夜軍に小兵はよろひかぶと也
緋ぢりめんけだし普賢のさいどなり
中宿でまつ初手のから封を切り
白旗ははづし帷幕はたくしあげ
ころびねの種とは下女のぬかしたり
その始末女御更衣も御手づから
巾着が口をきいたでむつかしい
お馬なら坊ものらうと目を覺まし
ころぶ子を母は杖とも柱とも
案外の珍事相撲がかたく辭し
さよ姫のその毛は直に苔となり
耻かしさ赤のまんまにとゝそへて
金五兩とるべらぼうに出すたはけ

あれおよしあれとこたつを裸にし
ちく生めうまくするなと御用いひ
石塔の赤い信女がまたはらみ
芋虫のやうに腰元承知せず
戀やみの脈はもちやげるやうにうち
がんにうの入つた娘は聲がはり
三千の舟には柱一本たち
ぼう〳〵と生えてかち〳〵山をする
さがみ下女遠ぼえをしてもがく也
一ぶだめしのやつなれど五兩とり
切り時のわるい茶釜に虫がつき
小侍はまりはじめはうばが池
かづさ戸をぴッしやり立てゝ五十とり

三寸の的へ射あてるあづさ弓
縁遠さ桐のずゐまで腐くなり
たま〳〵はよいと亭主はふとく出る
おたねをもやどしましたと宿はいひ
浅妻に似たが三十二文なり
夜具の番隣りの部屋も御同役
遊女とはあんまりはでな化身なり
人目をも思つたは後家初手の事
薬でもいかぬやまひははだかむし
白い目をあいてふさいでごぜよがり
色直し後は教へねど承知なり
種々の祈願金勢神も立ちきれず
ゆびぬきは握つた人の手にのこり

十五両めになれ合と評がつき
あき手ではこたつの上の猫をなで
下女難儀まはりせりふで取まかれ
ふといい後家七日もたゝぬうちに泣き
をしい事いろを亭主にしてしまひ
その手代その下女つひに九尺店
てうちんで上るはしごは氣がちがひ
がんにしくどく蓮の茶屋紙がきれ
玉のしとねへよぢのぼる三本足
顔ばかりよくてさつぱりはじまらず
若亭主出やうとすゝとさづけられ
握られた片手たゝみをなしつてる
てうちんはかはらけ町の木戸できえ

蓮の葉ともろ共男かぶりふり

本あぢの出ぬ初物をくひたがり

お妾の靑いは永井右馬の頭

あら玉の門を出はいるおもしろさ

朝歸り命に別儀ないばかり

禿來て武士がたゝんと申しんす

おだやかになつて二人は汗をふき

てうちんは思はぬ所へ蠟が落ち

御代參蓮のさいたはひしがくし

川竹の味はうしほの口あたり

赤貝のぐつと奥にはいなの臍

指でくであかねをけがす村芝居

梓みこねても亭主に口をよせ

雨やどり雲雨の情をまたさとり

いやな男も來やうのと淺黄いひ

足の指一束になる氣味のよさ

やすいやつ夕べちん／＼おひる也

せきうつを一度にはらす池の中

おふざけでないよとまでは出來かゝり

このあばた見つけなんだともてる也

大味であらうと與市かくごする

はちす葉のまん中へ來て後家よがり

夜來夫婦の聲をきく新世帯

たび／＼のごめんなんしにしこじれる

朝歸りとりあげ婆にしかられる

人は武士なぜ傾城にいやがられ

火をけして一間はやなりしんどうし
川竹のいかだに客は棹をさし
里びらきまでもすんでの茶臼なり
つみらしく座頭の女房うは氣也
白かべを見ろと去状ぶッつける
早乙女はかなめのとこが田にうつり
さねの動くも知らねえと聟いはれ
あばたのおさへた間男は命づく
ざこね祭りはぐちや〳〵とわたる也
紅閨に淺黄狐燈とさし向ひ
桶伏と入かへにする座敷牢
まぎれふんどしへ去状そへて出し
させぬのみならず女房にいッつける

一物のしきりにおえる俗座ぜん
あればあるものと女帝の御満悦
義理にふんどしをはづすは三會目
宮參りさてはまだ四十五日あり
いたゞいてのむもくやしき山歸來
なめくぢを二本ひんぬく切落し
切見世のくぜつくそでもくらへ也
入れ物をかりたやうに百とられ
提重はごふん下地のやうにぬり
旅の留守書けば十くだり半もおり
今以てけせず三會目にふられ
産前産後用ゐてよし下女
切落しその手でおこし買てくひ

また一つ突く明六つの別れ際
曲搗は杵を折々ふちへあて
玉の門へはかんぬきをたてにさし
あんまりな亭主間男をこわがり
つくぐ〳〵と胡瓜のいぼに下女みとれ
昨日は青樓けふは座敷牢
重箱でくるぼた餅を和尚貰ひ
去狀をいたゞいてとるにくらしさ
主の手で御箸紙と書きなんし
土間のぬれ手であは雪を喰ひに出る
早わざがきかず百文たゞとられ
しやくへ手をあて後朝の左酌
うばたまの門まつ黑な筈の事

甲子にふられて歸るあさぎ裏
客分といふ分の字に說があり
三會目月夜がらすでざんすわな
近い內來なといひ〳〵小便し
羽織の裾へすわりお歸りなんし
玉門へ毛やりをふつて御慶なり
行水のわかる淺黃はあかがぬけ
ねれた女晩房がまはす風車
おツかさんこの金柑はおめざかへ
不用なものできん玉は極大事
湯女のへあがり奥中でにくまれる
夕べ氣を物さしでつく吳ふく店
切店はつまみ洗ひをしては賣り

いはず語らず引出しへ二兩入れ
いつ來なんすはきぬ〴〵の仕着せ也
傾城はどの道泣くが極意なり
よし百夜かよつたとこがはじまらず
歌書にも見えず女湯をのぞく戀
不都合さ亭主湯上り女房酒
なめくぢ二本もてあます間のわるさ
松ケ岡へのこ冥利のないが行き
四ツ目屋をへゝんと妾さみしてる
如菩さつの來迎花のふる夜なり
おまよ馬鹿よは切店の合ことば
油火くさいきぬ〴〵の茶椀酒
馬鹿な事娘にきんなけられ損

息子おもへらく三分がものはおり
古今未曾有は男湯を下女のぞき
人形を見るはこたつの猫ばかり
とび切の顔でふんしがわるい也
粟もちは犬にくれろと氣が違ひ
めゝつちよの神奈川にあるさくや姫
口あけだよつて行きなと情のなさ
三會目まさか茶臼ものぞまれず
すきこそ物の上手なれ曲どり
きん玉とまでは親にもいひやすし
惡所とはばちの當つたことばなり
舟後光さかさに拜む湯くみ也
人形は足の指までまげられず

小便をいゝばきりやうがどつとせず
御亭主とこんいだつけとにじりより
茶のみ友だちで藥罐の水がへり
取すがるきぬ〴〵やぶれかぶれ也
上總戸をたてにてツぽううち放し
三會目杓子あたりが別になり
きんたまをたふとく思ふ女人堂
効能はうつ症を治す三つぶとん
人同じからずと湯屋で發明し
老の樂み人形をよくつかひ
玉の門あるのに乳の下を切り
お妾は七去乘備の女なり
湯へ行かつしやんなと粟の餅をくひ

赤貝のえらもぬかせる三會目
えりくづでぜげん切店おツぱじめ
あてにしていんすはいやないんす也
せいては事をしそんずる毛切れなり
かねてたくみし事なればたれる也
ばち當り正五九月に追出され
名物はつけ飯盛は喰がくし
鐵砲のきづ鍛冶町でいかけさせ
そつといふおよしなさいで茶屋はやり
ぬれてゐる所へ水やは戸を明ける
鐵砲は玉のいゝのでどんとあて
三分がものはあり一分がものはなし
川竹の殺し文句は拜みんす

据風呂の加減に指が二本ぬれ
お姿のどらは役義の外にさせ
餅花をさけて難所へさしかゝり
飯盛の不首尾夜食をかたまらせ
に花より茶屋の娘にうかされる
山吹の花でつぼみの水をあけ
名代をこわ高にして耻をかき
お來から初手見せた手をもう二本
道中はすれどうりものねれぬ也
人形の所作はおまつり前の事
むごい親娘を猫や杓子にし
ほれるかく\と茶をくらつてる
水あけをすると蕾も花になり

見合ふのを出合といつて叱られる
白酒の德利へ下女きたなびれ
とんだ狂言一幕は茶屋でする
死にんすが息子病付くはじめなり
おれは文おれはたばこと二人あけ
指を貰つて置所にこまるなり
大門とすでに改元するところ
茶や娘理不盡よけをしめてゐる
けつをまくつて尻をだく切落し
あれさもう涅槃に入ると耶瑜陀羅女
古來稀七十五日待つ亭主
表門より裏門がしまりよし
こんたんの來た夜初會はみぢん也

まだもてそうなものとおもふ四會目
傾城のほれたは常の眼で見
指切丸の土だん場ははこまくら
さへぎつていやともいはぬ茶屋娘
あながちに仕たいからとて行くでなし
死にますといはれのろまは引こ拔き
女房のからめ手を責め叱られる
初會にはあてがひぶちをくつてゐる
下の口上より早くものをいひ
御來迎すんですぐさま御床入
白拍子あほうらしいと四五枚見
三日月さまに買あたるけちな晩
裏表ある水茶やははやるなり

つんとして水あげ前の石佛
聞えぬは名代がおんなじ値段
此上もない無念四六にふられ
白酒といつて是非なく下女はなめ
死にますよ十萬億を〳〵なり
平蜘蛛のやうにおつぷせ釜をわり
初會にはまづお仕きせの通りにし
品川はなじむと盛つてくれる所
夜來風雨で行平は御つかれ
三ツ蒲團敷くではなくてつむのなり
水茶屋でせい一ぱいが手を握り
こまりんすなどゝ名代三度くる
死ぬ程の中は草履ゞ殺して來

おやこのさとに裏門はありません
初會から幕なしにして入をとり
飯盛にやよすぎ傾城にはならず
帷幕白旗かなぐつてむづと組み
あらざらんしやうわるも又和歌にたけ
中にかゝらせ給ふのが三分なり
茶を喫し尻をつねる代百銅
名代をねせてきれいに口をきゝ
まだ入れぬうちから相撲べそをかき
白酒は娘どぶろく下女は出し
死にますといふは女房の夜病也
孝行の釜よし町でほられてる
初會から帯とく客のしらなじみ

飯盛の客にしやくしはきつい事
面白くこわいは情がうつりんす
水茶屋をくどけばせゝら笑つてる
ひつかいたのが名代の申しわけ
物置で今行く〳〵と下女返事
御亭主のすき見生死の境なり
せきれいの後に河童が出てをしへ
落ちそうな腹はからめ手から責める
四會目は三とせなじみの猫のやう
五百生手のなき人の南女する
椎の實で戀のいろはをかきならひ
聖天を天ぷらにして願をかけ
水茶やはとくしんしたりしなんだり

にじむじのかゝおや娘二十人
名代はぜんたいさせていゝりくつ
妾が心まさに斷絶としがみつき
見通しにゐるのに汐干母案じ
尻べたのあざをきかれて母こまり
會者定離さと品川の朝歸り
江戸づめに立つ夜女房五ばんされ
ほれたのか但しや商ひ上手のか
うまい事娘の癪の相手なり
二十けん際限もなく茶をくらひ
名代に儒者も餘義なく柳下惠
此石はおや〳〵〳〵と女旅
出合茶や何か男のわびる聲

四會目はやり手やつぱりこわいつら
木の端でないのが海のはたを行
椎の實の下からももんじいが出る
性わるはあほ親王の五男なり
宵はまち夜中は癪をおしてやり
大笑ひ二本の指のすゝが落ち
うはゞみの毒氣赤子の尻へかけ
茶をくんでばかりくらすと見えぬ也
はひこむとどろぼうといふむごいやつ
山を出て海へ寝に行く不屈さ
ほれたまね上手にするではやる也
娘の癪は針よりも竿がよい
十四五の娘心は瓶のぞき

歯がなくてしうとは嫁をなめたがり
持参金せないと表沙汰になり
氣を大きくもつて若後家はさせる
表から見れば水茶や一つなり
見物のするだんまりは指二本
ついぞない朝ね七十七日目
とんだ事十夜を南もん日なり
姑の生水をとる聟をよび
ねとりを射ずと新造を儒者起し
大家さまへは三味線の師匠なり
むくつけき男はいやと下の闘
心中の前夜男のひざがぬれ
曉を覺えず新造またとられ

水茶屋で打つとはしごくやぼな沙汰
會者定離三縁山がひどくなり
五十四帖は性わるの一代記
奥様の十九妾のひがとまり
暮によぶ素槍のさやは白たゝき
新造はふる氣ではなし寝る氣なり
御亭主はじんきよ看病はらんでる
針箱がつぶれまするとひくゝいひ
追善に枇杷葉湯を後家せんじ
ぬきみでもつまりませぬと一人者
のみこんでゐて水がねの能をきゝ
素懐をとげんと水茶やにこび付
いやですむものか七十六日目

野暮とばけ物品川に入びたり
十三はばつかり町の出來はじめ
すゝの晩うつくたびれてはねのける
內でしたたかしながらと女房いひ
手をくんでゐるが間男氣にかゝり
立て耻ざるは獨身のあさねなり
やかましやするにしておけ姬始
耻かしさ尻ツぺた巾あざだらけ
品川の客の國分が本の事
かたはらいたし名代も癪ざんす
いきなものを十有五にてくひはじめ
うすく／＼は嫁の夜泣も知つてねめ
あかねさすまで歸さぬと下の關

寢入つての一儀は新造おもほえず
緋ちりめん虎の皮より恐ろしい
前ざしの太いは毛ぎはまでつれる
もてぬやつ何かからんだ事をいひ
女房や上總を見はらしてやツつける
情をうつすは氣をやるの雅言也
娘十三桐の木も引きわられ
すまぬ事師匠折々ころぶなり
新造も水ひきほどはしまりあり
女房に耻をかゝせる病なり
東臺のもとくらくして畫出合
雛さまの出合春三夏六なり
もてたやつ帶ひろどけで拜んでる

申し子と思ふ夫のりちぎなり
座敷まばゆき品川の朝直し
へのこも老ひぬれば張かたにおとり
姑のもので聟をもてなすでもめ
かみなりのおかげ新造にだきつかれ
ひぢりめんひものないのが本の事
ぴり出入大家すこぶる赤面し
錫杖とおんなじやうに首をふり
夜軍の楯にたてたる雀がた
女神に教へ申したは土龍
役印は押せず餘儀なき五人組
仕殺してくんなと相撲ねがひ也
春三の掟をやぶる若夫婦

下の關上殿しなと袖をひき
心中を遣手よがると存じより
新造も揚弓ほどの張をもち
灸すえる屛風にしては靜かなり
もちあげ乍ら閨だよ閨だよ
よしねえと守がら／＼で二つぶち
涙ぐむせがれ故郷を思ひ出し
隅田川今でも母に苦をかける
而後の新造死んだやう
歸らぬも道理ひぢりめんをほどく
いかにお妾なればとて晝日中
さすが亭主ものりたゆむ丙午
肥後ずゐき白あひにする面白さ

無理な事連のもてたに腹を立
閻王の口へ小僧をおツぱめる
一人べえならまだしもとせな叱り
くやんで詮なし小便に行つたきり
こたつほどいゝ智ゑの出ぬ凉臺
衣食住ふそくもなくてじん虚也
ぬれわらといふと新造もう笑ひ
叡覧も恐れず嫁はよがり出し
かつこみへ張形をやる里のうば
守が宿およそ二寸といするなり
酢とこんにやくは紅葉から歸る也
背びらきの鮒にねる夜の面白さ
二日にはかきぞめをする一人者

素見物堪忍づよい男なり
ねれたのをさせろといへばくたびれた
新造はおえるへのこの珍らしさ
そのきどく女房ずゐきの涙なり
姫始さあ正月と下女まくり
べらぼうに持てたと茶屋へ片手見せ
申し子の願も叶はず腎虚なり
間男のさたを天狗はきゝあきる
すツぽんの首を關守見て通し
長々し夜をひとりねて柿の本
土器の据ぜん慈悲の門へ出し
あをむけになつて女房をいやがらせ
四季に賣る枇杷葉湯は下女弘め

有たけの智ゑで新造くぜつなり
肥後ずゐきゆがけをしまふやうに巻き
つらい事へのこをかぶる祭りなり
外聞はもみち實義は女郎なり
せきれいは一度敎へてあきれはて
かき初は男ばかりと下女ぬかし
いかぬことたつた一分でもてたがり
つんとしてそのくせすきな女なり
からだは人間でへのこは馬なり
もてる筈よく〳〵聞けば女房也
消かちの灸はときんのとこへすえ
正燈寺おツとみなまで宣ふな
はらんだをかくして嫁はしかられる

いただいてのんだ息子がいツちもて
鬫もりの目きゝの通りめかけなり
せんずりでさへ人音はうろたへる
すりこ木をはりのけて後家はぢしめる
さゝがにの振舞膳をすえてまち
足があるとは母知らず涼臺
附馬でとるは夕べの駄賃なり
あの子もあの子主もまた主ざんす
しまりよきかゝで桶屋は繁昌し
娘から先へしてやる虎の巻
酒ゆゑのされぞんうぬもひしがくし
數の子もはらゝごもあるなまぐさみ
三會目あたゝめられつあたゝめつ

船頭もあとの婆あは義理でだき
子の曰くけだしは人をまよはせる
はした錢でははりかたは買へぬ也
武士はいやなどゝお三の間ではなし
黒吉の顔が持參でまつぱだか
くどかれて後家とびげたにしよさをくり
かり高はふとくなつてる大晦日
嫁か娘か賣物かしもふた屋
あてこともない夜着息子あつらへる
させるのは北まくらでちかまはない
まだをぼこそつと血どめをつけて見る
不孝もの母に夜櫻ながめさせ
氣のわるい文句は夢や結ぶらん

お妾はまづ毒藥の一味なり
べつ甲もへのこにされるふのわるさ
鐵砲は愛身の方で玉をこめ
間男と亭主伊勢物語りする
下女の色かねて夜這と定めたり
すうわりが三分どたりが一分なり
御たねをやどさずんばと國家老
金につまづいて踊子ころぶなり
仁のある人はりかたをつくり出し
丙午水ありつたけ呑みつくし
おさん泣かせに馬こやす芋の殻
井つゝのがけで縫あげをまくりあひ
うまほどな牛を局は持てゐる

天井がひくゝなる夜は三分なり
たれどこがあるまでころり／＼也
鶴ケ岡その國がらの石があり
あれさもうよい君が代の姫始
長い目で見てるうちに後家はらみ
女房をたのしんでくる紫見物

引ずりのくせにおとみが早いなり
くどきやうこそあらうのに抜身也
箸紙が出來て息子の城が落
二人して出すとはけちな出合茶や
どうしたか下女すりこ木を塩みがき
くどきそびれてめりやすを二つあげ

関連資料

・『重要雑記』（全体）上海に渡る直前のものと思われる読者通信。

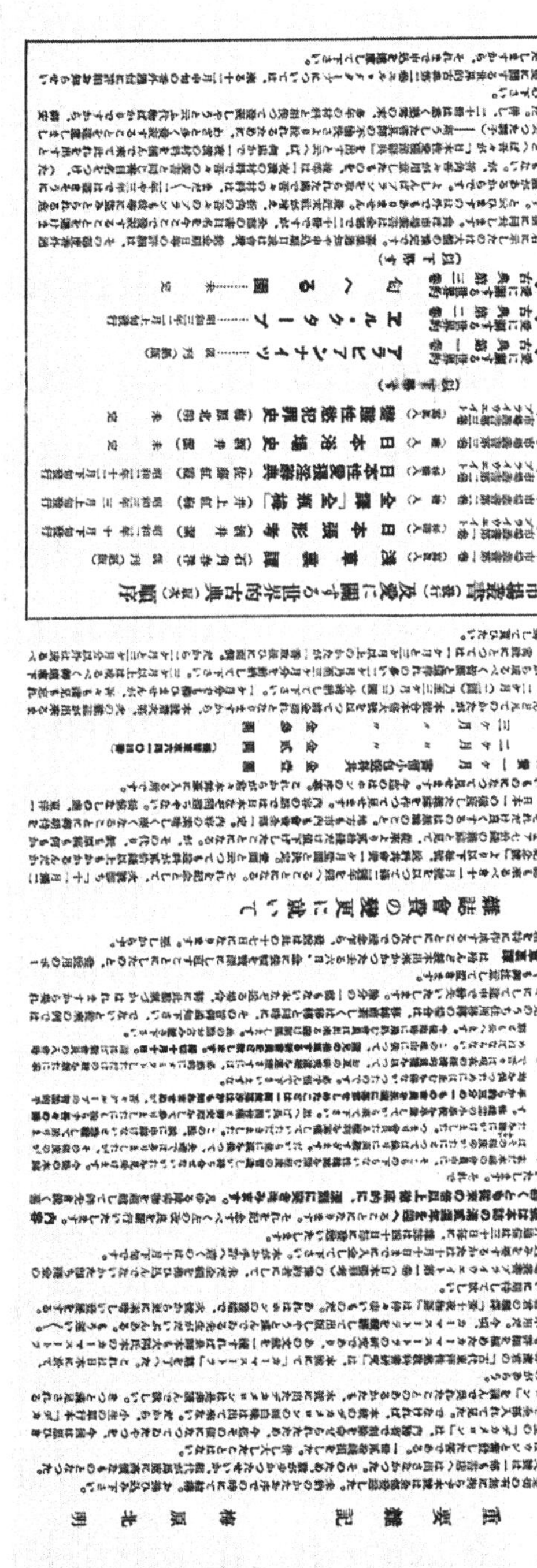

重要雑記　梅原北明

雑誌会費の變更に就いて

アラビアンナイツ

エル・クターブ

匂へる園

重要雜記

梅原北明

◉前金切の有無に拘らず本號は全部發送した。未納のかたお序での時にて結構。お拂ひ込み下さい。

◉倍大號は一部も書店へは出さなかつた。そのため、數が少かつたせいか、組代が馬鹿に高價なものとなつた。紙はウンと奮發した筈である。一冊貳拾錢損をした。併し大したことはない。

◉小生の「デカメロン」は、內務省で削除を命ぜられたため、今迄その儘になつてゐたやつを、今回は思ひきつて全部入れて見た。でなければ、本統のデカメロンの面白味は出て來ない。だから、小生の單行本「デカメロン」を讀んで呉れたことのあるかたも、本號に出たデカメロンは是非讀んで欲しい。きつと滿足されるものがあらう。

◉酒井潔君の「古代東洋性慾教科書研究」は、本號にて「カーマスートラ」篇を了へた。これは日本に於て、最も詳細を極めたカーマスートラの研究であり、あの文獻を一讀すれば泉師本も大隅氏本のカーマスートラも不用だ。今頃、カーマスートラを飜譯して出版しやうと謀んでゐる先生がだいぶんある。もう遲い〳〵。

◉佐藤君の飜譯「蛋十夜物語」は仲々凄いものだ。あれはホンの發端で、次號から更に素晴しい發展をする。大いに期待して欲しい。

◉市場叢書ブライウエイト第一卷（日本張形考）の豫約者にして、未だ全額を拂ひ込んでないかた即ち殘金の拂込みを要するかたは十月十日までに入金して下さい。本がお手許へ着くのは十月下旬です。

◉番外通信は三十日毎に、雜誌は四十日毎に發送いたします。

◉**次號は本誌の滿貳週年を迎へ**ることになります。それを紀念すべく左の改良を斷行いたします。**內容は尠くとも從來の倍以上徹底的に、深刻に突き進みます。**凡ゆる障害物を超越して鉾先き鋭く驀進いたします。それで

（イ）未だ本誌の會員中に、そこらの下らない性雜誌を讀む程度の智識しか持ち合せないかたを見受けます。今後の本誌はその程度のかたにとつては餘りに高級すぎます。だから玆に涙を振つて、失禮ではありましたが、その程度のかたを篩《ふるい》にかけました。つまり會員たる權利を棄權していただきました。この點、誠に申譯けないと恐縮して居りま

手から約三分の一もの會員を永遠に落第せしめたことは一面無謀沙汰かも知れませぬが、吾々グループの智識的平均を保つためには止むを得なかつたのです。必ず恨んで下さいますな。

（ロ）で吾々は現在の經濟的負擔を以つて、お互の研究道樂を連續さすには、必然的にオミツトしただけの數を新たに求めればならない。この理由に依つて、諸兄の推薦する新會員をご歡迎します。締切十月十日。謂はば新會員の入會時期さも云へます。今後臨時に飛込む會員は出來ろ迎け制限します。此の點お含み置き下さい。

◉諸兄のうち住所移轉の場合は、移轉前若しくは移轉と同時に、その旨御通知下さい、でないと從來の例では往々にして途中で紛失いたします。餘分の一部もない本なぞ送る場合、特に此點氣づかはれますから呉れぐ＼も御注意して置きます。

◎**淺草裏譚**　は殆んど製本出來かかつた去る六日、急に装幀を贅澤にし直すことにしたのと、發送用のボール箱を特に作成することにしたので殘念乍ら、發送は此の十七日になります。惡しからず。

雜誌會費の變更に就いて

本誌も來るべき十一月號を以つて滿二週年を迎へることになる。それを紀念として、次號即ち「十一月滿二週年紀念號」より以下毎號、送料共會費一ヶ月壹圓と決定。壹圓と云つても送料が貳拾錢以上もかかるんだから、まア七拾錢の雜誌と見て、從來より貳拾錢だけ値下げしたことになる。が、その代り、紙も原稿も何もかも、それだけ良くするのは無論のこと。地方も市内も會費全部一定。内容の素晴しく凄くなることに御期待を乞ふ。日本一の徹底した雜誌を作つて見せます。内容の點では日本なぞ問題ぢやない。掛値なしの處、東洋一の凄いものになつて見せます。今迄のはホンの序幕。これからが愈々本舞臺に入る所です。

會費一ヶ月	書留小包送料共	金壹圓	（振替東京六四一〇四番）
〃二ヶ月	〃	金貳圓	
〃三ヶ月	〃	金參圓	

殆んど凡てのかたが、本號合本倍大號を以つて前金切れとなりますから、本號着次第、次の雜誌が出來るまでに、二ヶ月（二圓）乃至三ヶ月（三圓）分前納して下さい。一ヶ月分でも構ひませんが、吾々も諸兄も忘れ易いから成るべく皆麼と道件れの多い二ヶ月乃至三ヶ月分を前納して下さい。三ヶ月以上は成るべく御遠慮下

さい、當社にとつては一ケ月と三ケ月以上のかたが一番取扱ひに面倒。だから二ケ月と三ケ月分以外は成るべく勘辨して貰ひたい。

市場叢書（發行）及愛に關する世界的古典（取次）順序

▽市場叢書第一卷（寫眞入）淺草裏譚（石角春洋）既刊（絶版）
▽プライウエイト（秘藏入）日本張形考（酒井潔）昭和二年十月下旬發行
▽市場叢書第二卷（繪入）全譯「全瓶梅」（井上紅梅）昭和三年三月上旬發行
▽プライウエイト（秘藏入）日本性愛猥淫辭典（佐藤紅霞）昭和二年十二月下旬發行
▽市場叢書第三卷（繪入）日本浴場史（酒井潔）未定
▽プライウエイト（寫眞入）變態性慾犯罪史（梅原北明）未定

（以下略す）

▼愛に關する世界的古典第一卷　アラビアンナイツ……既刊（絶版）
▼愛に關する世界的古典第二卷　エル・クターブ……昭和三年二月上旬發行
▼愛に關する世界的古典第三卷　匂へる園……未定

（以下略す）

◆右に示したのは大體の豫定です。募集通知や申込期日或は會費、送金期日等の詳細は、その都度番外通信に同封します。尚ほ市場叢書は全部で二十冊ですが、全部の書目名を今ここで發表することを避けます。と云ひますのは外でもありません。最近末社が増え、折角の吾々のプランも彼等に盗みとられる危險があるからです。よしんばプランを取られた處で吾々の材料は、まだ〳〵二年や三年では盡きそうにもない。が、折角吾々が用意したものを、彼等は一夜漬の材料で吾々の叢書と同じ書目名をつけ、（たとへば吾々が「日本性愛猥淫辭典」を出すと云へば、何處かで一夜漬の材料を摑んで來て此れを出すと云つた調子）――斯うした香具師の不愉快さより脱れるために、わざと多く發表することを遠慮しました。併し、二十冊は悉く熟考の末、多年の材料と相俟つて發表しやうと云ふ代物ばかりですから、御安心下さい。

◉愛に關する世界的古典第二卷エル・クターブについては、來る十二月中旬の番外通信に詳細お知らせいたしますから、それまで申込を遠慮して下さい。

・『印刷能力愈々急速度に復活』（全体）【カーマシヤストラ】の刊行について触れている。

印刷能力愈々急速度に復活

――雜誌發行日の順序全く整ふ――

三月號(No.4)も愈々着荷したので玆に發送いたしました。

當社の仕事も以來着々と整理がついて今月からは毎月の二十日には必ず（一ケ月一冊）着荷する事になりました。四月號(No.5)は四月の二十日に、五月號(No.6)は五月の二十日にと云つた調子に順序よく元々通りに復活しましたし、それで今度は、今迄の困難や、或は會費前納制を暫らく緩してゐました爲めか、資金の都合上、又は整理の都合上どうしても今後は従前通り凡て前金に御願ひしたいので御座います。でないと仲々手間取つて自然發送に手違ひを起したり、馬鹿に發送がおくれたりするのみでなく、第一、雜誌はドシ／＼先き／＼へと融通を利かしてお送りしても一向に會費を送つていただかないかたも大分出來ましたし、それに何號分もかたまりますと、自然會費の拂込みも物憂くなりがちなものですから、此點もお互に認め合つて、どこまでも紳士的な交際にいたしたいと存じます。ですから次回よりは、御面倒でも、その月の拾日頃までにお送金下さい。そしたら廿日に着本次第お送り申上げませう。即ち次の(No.5)は来月の二十日に着本しますから、十日頃までにお送り下さい。

フックス傑作畫集及エル・クターブの約者へ

フックス畫集の最初の二頁に入るべき原色版二枚は色々な都合で甚だおくれて漸く參りました。丁度エル・クターブ上卷とカーマシャストラ(No.4)も同時に到着致しましたので都合三種、エル或は畫集のみの方へはカーマシャストラ(No.4)と二種一度に送る事になりました。二枚の原色版は御手數を煩します。

・『印刷能力愈々急速度に復活』（拡大）

印刷能力愈々急速度に復活

――雑誌發行日の順序全く整ふ――

三月號(No.4)も愈々着荷したので玆に發送いたしました。

當社の仕事も以來着々と整理がついて今月からは毎月の二十日には必ず（一ヶ月一册）着荷する事になりました。四月號(No.5)は四月の二十日に、五月號(No.6)は五月の二十日にと云つた調子に順序よく元々通りに復活しましたし、それで今度は、今迄の災難や、或は會費前納制を暫らく廢してゐました爲めか、資金の都合上、又は整理の都合上どうしても今後は從前通り凡て前金に御願ひしたいので御座います。でないと仲々手間取つて自然發送に手違ひを起したり、馬鹿に發送がおくれたりするのみでなく、第一、雜誌はドシ／＼先き／＼へと融通を利かしてお送りしても一向に會費を送つていただかないかたも大分出來ましたし、それに何號分もかたまりますと、自然會費の拂込みも物憂くなりがちなものですから、此點もお互に認め合つて、どこまでも紳士的な交際にいたしたいと存じます。ですから次回よりは、御面倒でも、その月の拾日頃までにお送金下さい。そしたら廿日に着本次第お送り申上げませう。即ち次の(No.5)は來月の二十日に着本しますから、十日頃までにお送り下さい。

フックス傑作畫集及エル・クタープの約者へ

フックス畫集の最初の二頁に入るべき原色版二枚は色々な都合で甚だおくれて漸く參りました。丁度エルクタープ上卷とカーマシヤストラ(No.4)も同時に到着致しましたので都合三種、エル或は畫集のみの方へはカーマシヤストラ(No.4)と二種一度に送る事になりました。二枚の原色版は御手數を煩します。

畫集の珍品續々來る！

今回はお待ち兼ねの惡魔の大家ロツプスの畫集です

ロツプス『性交秘畫集』（十二枚入）

東京某大銀行輸入部經由で壹百拾五部舶載しました。ロツプスの作品はフツクスのヂツテン・ゲシヒテや、エロチツシユ・クンストなどに二三枚しか引用されてありません。あの大蒐集家のフツクス氏に於てさへ、僅か二三枚しか集められなかつた珍品です。だから吾れ々々の手などには到底はいりつこはないと諦めてゐたんです。

それが今回計らずも、獨逸の某書店が破産し、ために嘗て誰れにも賣却しなかつた該書を手ばなさねばならなくなつたと云ふ譯で、やつと、この珍品三百部ほどがパツと世界にまき散らされることになり、おかげで吾れ々々の手へも、仲介者抜きの一部四圓と云ふ安値で引取ることが出來たと云ふ譯で御座んす。

さア、諸君。こいつも欲しくなつたら直ぐに申込みたまへ。

吾が協會の復活と同時に、ドシ／＼取次ぎに出版に目の廻るやうな廻轉を始めましたから、そこらでも目をまはさぬやう願ひます。例に依つて、銀行へ前金を持ちこまねば先日の繪葉書のやうに品物を渡してくれませんから、こいつは大至急願ひます。

◎取次實費は一部に付金四圓也（但し送料十八錢位を要す）とにかく、**四圓二十錢送金**して貰へばいくらか、儲かります。
◎金が出來次第銀行から荷を受取れますから、月末迄には何とかなります。おくれても、あと二三日のこと。
◎送金方法は小爲替願ふ面倒につき、振替で願ひます。番號は**東京六四一〇四番**です。
◎別に締切日なんてありません。定數に達した時が締切日とでも云ひませうか？
◎このビラの發送は遠方のかたより先きに、東京市内は最後にしましたから、遠方のかただとて、締切後は永久にあきらめて下さい。（別紙「フロツシー」の豫約廣告のビラも同じ事）

別の用件二ツ三ツ

△雜誌の會費の件ですが、若しお拂ひ込みの場合に、當方で、前金切れ、その他の通知を發した節は、行き違ひですから、この點に對する手紙はお互に面倒ですからお互に時間を節約することにいたしませう。
△「エルクターブ」は「變態獵奇往來」と一緒に發送いたします。「しとやこ」は其次になります。以上

移轉先き

東京市小石川區大塚窪町廿四ぬノ一號
文藝市場社
電話（目下小石川局架設中）

・『性交秘画集』刊行案内（全体）。この時期、北明は性を題材にした画集を多く手がけている。

・『性交秘画集』刊行案内（拡大）

畫集の珍品續々來る！

今回はお待ち兼ねの惡魔の大家ロップスの畫集です

ロップス『性交秘畫集』（十二枚入）

東京某大銀行輸入部經由で壹百拾五部着荷しました。ロップスの作品はフックスのヂツテン・グジヒテや、エロテツシユ・クンストなどに二三枚しか引用されてありません。

あの大蒐集家のフックス氏に於てさへ、僅か二三枚しか集められなかつた珍品です。だから吾れ々々の手などには到底はいりツこはないと諦めてゐたんです。

それが今回計らずも、獨逸の某書店が破産し、ために嘗て誰れにも賣却しなかつた該書を手ばなさねばならなくなつたと云ふ譯で、やつと、この珍品三百部ほどがパッと世界にまき散らされることになり、おかげで吾れ々々の手へも、仲介者抜きの一部四圓と云ふ安値で引取ることが出来たと云ふ譯で御座んす。

さア、諸君。こいつも欲しくなつたら直ぐに申込みたまへ。

吾が協會の復活と同時に、ドシ／＼取次ぎに出版に目の廻るやうな廻轉を始めましたから、そこらでも目をまはさぬやうに願ひます。例に依つて、銀行へ前金を持ちこまねば先日の繪葉書のやうに品物を渡してくれませんから、こいつは大至急願ひます。

◎取次實費は一部に付金四圓也（但し送料十八錢位を要す）とにかく、**四圓二十錢送金**して貰へばいくらか、儲かります。

◎金が出來次第銀行から荷を受取れますから、月末迄には何とかなります。おくれても、あと二三日のこと。
◎送金方法は小爲替頗る面倒につき、振替で願ひます。番號は東京六四一〇四番です。
◎別に締切日なんてありません。定數に達した時が締切日とでも云ひませうか？
◎このビラの發送は遠方のかたより先きに、東京市内は最後にしましたから、遠方のかたたとて、締切後は永久にあきらめて下さい。（別紙「フロッシー」の豫約廣告のビラも同じ事）

別の用件二ツ三ツ

△雜誌の會費の件ですが、若しお拂ひ込みの場合に、當方で、前金切れ、その他の通知を發した節は、行き違ひですから、この點に對する手紙はお互に面倒ですからお互に時間を節約することにいたしませう。
△「エルクターブ」は「變態猥褻往來」と一緒に發送いたします。「しとりこ」は其次になります。　以上

移轉先き

東京市小石川區大塚窪町廿四ぬノ一號
文　藝　市　場　社
電話（目下小石川局架設中）

世界猥褻名畫集（第二輯）愈々着荷！

歐米交合姿態二十四手（一組二十四枚）

說明までもなく、歐米に於ける性交姿態二十四手を示した艶畫。どの一枚と雖へど逆も〳〵頗るつきの珍々型。世界的傑作名畫と云はんより、世界的無類の珍ポーズとして、其の圖柄の妙、けだし、そのうちの玄人　み　賛嘗しむる所のものたること、天地神明に誓つてユメ〳〵疑ひなし。

第一輯の持ち主は必ず手に入れとくべし。フツクスにもクラウスにも、本畫集は一枚も取り入れてなし。東洋の所謂姿態四十八手裏表とかに見飽きた吾輩、今、西洋の二十四手に觸れるも、强ち惡くあるまい。

畫集は今回に限り、個人にて一時金を立替へ與れし物好き一人現れしため、既に銀行輸入係より本會の手に引取り了ひたり。今は諸兄よりの御着金あり次第、此度こそ間違ひなく直ちに發送可能自信あり。

（但し朝鮮、樺太、臺灣等の氏へは、發送の都合一週間内に通常發送すべき番外通信と共にしたければ、他の氏より少しおくるゝこと豫め御承知下されたし。）

取次規定

一、畫集申込は二百五十組限りの事

一、取次實費送料共一組二圓四十錢（但し朝鮮、臺灣、樺太等の氏は別に送料四拾五錢を要す）

一、大さ。繪葉書版。銀ブチ裝飾付色ケント三百斤（アートペーパなどの安物の比に非ず）

一、送金方法。絕對に振替希望の事（小爲替は往々にして紛失のおそれあれば也）

振替番號東京六四一〇四番。文藝市場社宛の事

以　上

因みに會協會の電話、移轉のため番號不確定の爲、去日、小石川四三〇九番と決定仕候間、念のため御報告申置候。

但し、電話にての本畫集の申込は紛ぎれ易ければ絕對に御遠慮被下度候。

別な用件二ツ三ツ

「しとりこ」は四月十日以内に、「エル・クターブ」の第二卷と第三卷は、五月十五日の着荷と決定。

「エル・クターブ」の第一卷不着のかたへは、來る十日前に發送する「しとりこ」と共に間違ひなく御送り申上候。右おわびかたがた御通知迄。

・『世界猥褻名画集（第二集）』刊行案内（全体）。

世界猥褻名畫集（第二輯）愈々着荷！

歐米交合姿態二十四手（一組二十四枚）

説明までもなく、歐米に於ける性交姿態二十四手を示した戯畫。どの一枚と謂へど迚も／＼頗るつきの珍々型。

世界的傑作名畫と云はんより、世界的無類の珍ポーズとして、其の圖柄の妙、けだし、そのうちの玄人を驚喜しむる所のものたること、天地神明に誓つてユメ／＼疑ひなし。

第一輯の持ち主は必ず手に入れとくべし。フックスにもクラウスにも、本畫集は一枚も取り入れてなし。

東洋の所謂姿態四十八手裏表とかに見飽きた吾等、今、西洋の二十四手に觸れるも、強ち惡くあるまい。

畫集は今回に限り、個人にて一時金を立替へ呉れし物好き一人現れしたため、既に銀行輸入係より本會の手に引取り了ひたり。今は諸兄よりの御着金あり次第、此度こそ間違ひなく直ちに發送可能自信あり。

（但し朝鮮、樺太、臺灣等の氏へは、發送の都合一週間内に進呈發送すべき番外通信と共にしたければ、他の氏より少しおくるゝこと豫め御承知下されたし。）

取次規定

一、畫集申込は二百五十組限りの事

一、取次實費送料共一組二圓四十錢（但し朝鮮、臺灣、樺太等の氏は別に送料四拾五錢を要す）

一、大さ。繪葉書版。銀ブチ装飾付色ケント三百斤（アートペーパなどの安物の比に非ず）

一、送金方法。絶對に振替希望の事（小爲替は往々にして紛失のおそれあれば也）

振替番號東京六四一〇四番。文藝市場社宛の事

以上

因みに當協會の電話、移轉のため番號不確定の處、去日、小石川四三〇九番と決定仕候間、念のため御報告申置候。

但し、電話にての本叢集の申込は紛ぎれ易ければ絶對に御遠慮被下度候。

別な用件二ッ三ッ

「しとりこ」は四月十日以内に、「エル・クタープ」の第二巻と第三巻は、五月十五日の着荷と決定。

「エル・クタープ」の第一巻不着のかたへは、來る十日前に發送する「しとりこ」と共に間違ひなく御送り申上候。右おわびかたがた御通知迄。

・『秘戯性的傑作画集　日本〇〇俗謡集』刊行案内（全体）

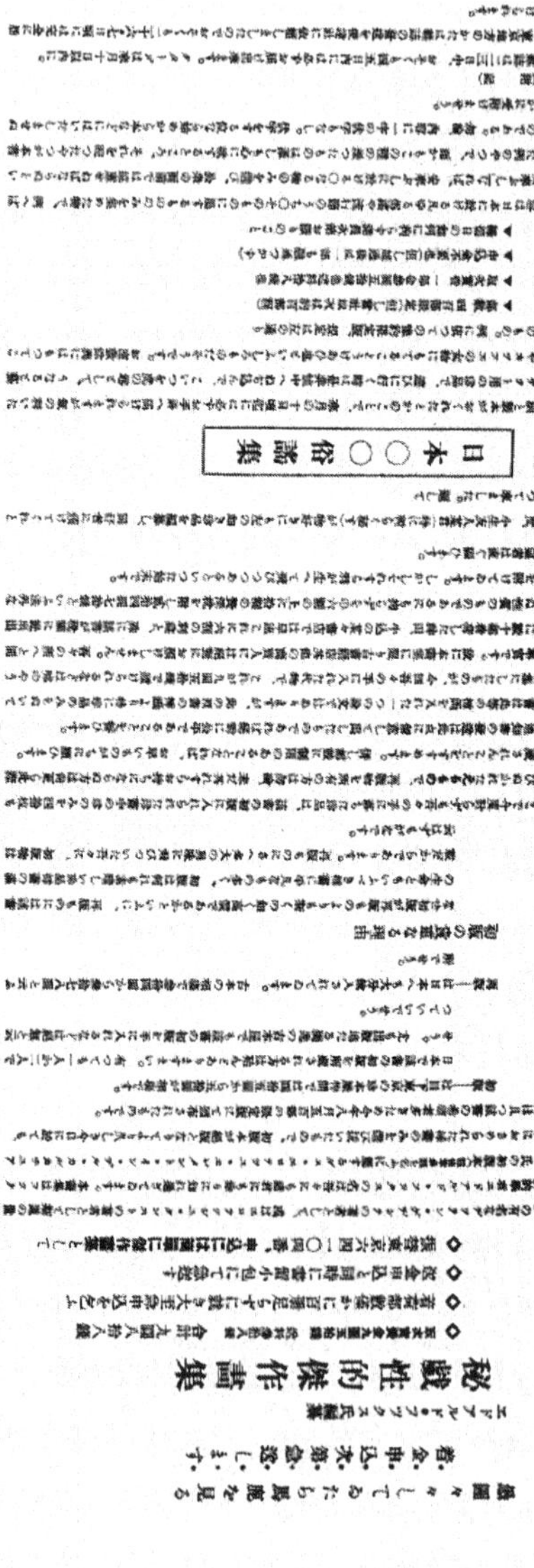
秘戯性的傑作画集

日本〇〇俗謡集

・『秘戯性的傑作画集　日本〇〇俗謡集』刊行案内（拡大）

愚圖々々してゐたら馬鹿を見る

着・金・申・込・次・第・急・送・し・ま・す・

エドアルド・フックス氏編纂

秘戯性的傑作畫集

◇取次實費金九圓五拾錢　送料參拾八錢　合計九圓八拾八錢

◇着荷部數僅かに百册足らずに就き大至急申込を乞ふ

◇送金申込と同時に書留小包にて急送す

◇振替東京六四一〇四番、**申込には簡單に傑作畫集として**

かの有名なデッテン・ゲヂシテの著者として、或はエロテッシユ・クンストの著者として斯道の世界的學者エドアルド・フックスの名は吾々にも諸君にも餘りに知れ過ぎてゐます。本書集はフックス氏の初版本（註後章參照を乞ふ）に屬するダス・エロテツユ・エレメント・イン・デル・カルカチユア中におさめられた挿畫のみを選び抜いたもので、初版本が絶版となりてより久しき今日に於ても、尚ほ且つ該書の希望者多きため今年八月五百部の限定版にて頒布されたものです。

初版――は目下東京の珍本屋仲間では四拾五圓から五拾圓が相場です。

日本で該書の初版を所藏される方は殆んどありますまい。有つても一人か二人でせう。尤も出版地たる獨逸の古本屋でも該書の初版を手に入れるなどは絶無と云つていいでせう。

再版——は日本へも大分輸入されてゐます。古本の相場で參拾四圓から參拾七八圓と云ふ所でせう。

初版の貴重なる理由

なぜ初版が再版ものよりも斯くの如く高價であるかといふに、再版ものには該書の生命ともいふべき挿畫に平凡なもの多く、初版は何れも素晴しい珍品挿畫の滿載だからであります。再版ものにさへ多大の興味に飛びついた吾々に、初版物は云はずもがなです。

そこで今度計らずも吾々の手に落ちた珍品は、該書の初版に入れられた珍書中の珍のみを四拾枚も選びぬかれた**えらもの**で、再版物を所有の方は勿論、未だ其れすらお持ちにならぬ方は尙更ら此際所藏されんことをすすめます。併し部數に制限のあることなれば、お早いものがちに願ひます。

此通知書の發送は此点に留意して出したものであれば絶對に公平であることを誓ひます。原書は此等の挿画を入れた一つの論文ではありますが、此の原書の挿画より特に珍品のみをぬいて書集にしたものが、今回吾々の手に入れた代物で、これが九圓五拾錢で頒けられるなどは嘘のやうな事實です。故に本書集に限り古書籍店其他の商賣人には絶對にお頒けしません。吾々の所へと同時に數十部着荷した神田、牛込の某々書店では早速これに六割の利益と、殊に該書が稅關に提出出來ぬ性質のものであるにも拘らずその六割の上に拾割の贅澤稅を附し貳拾四圓七拾錢といふ法外な値を附けてゐます。しかしそれすら羽が生へて飛びつつあるといつた始末です。希望者は直ぐ願ひます。

今度、小生友人某君（特に暫らく秘す）が物好きにも左の如き珍品を編纂し、同好者に頒けてくれと言つて來ました。題して

日本○○俗謠集

印刷と製本がおくれたとかのことで、來月の十日頃迄には必ずお手許へ届けられますが氣の利いたポケット用の珍品で、遊びに行く時は是非懐中へねぢ込んで、こいつを虎の巻さして、うなると藝者やカッフエの女給にもてることうけあひ也といふしろものだそうです。お座敷餘興にはもつてこいのもの。例に依つての豫約限定版、規定は左の通り

▼部數　四百部限定（但し當社取次は約百部程）

▼取次實費　一部金參圓五拾錢也送料拾八錢也

▼申込金不要也（但し超過後は一部も融通つかず）

▼締切日の如何に拘らず滿員次第お斷りのこと

内容は日本に於ける凡ゆる俗謠や流行節のうち○そのものに屬するもののみを集めた物で、例へば「安來ぶし」なれば、安來ぶしに於ける○なる物のみを選び、公衆の面前では遠慮せねばならぬといつた例のやつで、而かもこの種の繰つたものは誰しも心に欲するところ、それを覗つたやつが本書なのである。勿論、内容に一字の伏字もなし。伏字をする位なら始めから本などにはいたしませぬ

速かに受附けませう。

（附　記）

▼雑誌は二三日中、おそくも四五日内には必ずお届け出來ます。クタープは來月十日以内に。

▼東京地方のかたは雑誌の發送を便達社に依頼しましたのでおそくも二十六・七日頃には完全に届けられます。

・『カーマシヤストラ NO.5』挿入ハガキ

カーマシヤストラ（No.5）に就いて

◇カーマシヤストラ（No. 5）は編輯上のあらゆるいきさつを一掃して、昨年來諸氏よりの提案を通過さすべく、大英斷を振つて紙數の許す限り「末摘花」第六篇まで滿載いたしました。

◇既に「末摘花」を珍藏されるかたには、何等の興味もないかも知れません。しかし、吾々は、そう云ふかたには一つ金儲けをしていただかうと思ひます。と申しますのは、今更ら説明する迄もなく、故澤田五猫庵の編輯した「末摘花」の第一篇ヨリ第四篇マデの一冊は、あのザラ紙の悪印刷で目下拾圓が中相場です。それに第五篇、第六篇の各一冊づつが四五圓と云ふ相場です。だから、吾々が第一篇カラ第六篇マデ物した上は、既に所有のかたは直ぐに古本屋へお賣りになれば少なくとも拾幾圓かの利益が得られます。但し、本がついたら直ぐでないと、馬鹿を見ますよ。なぜなら、本誌で「末摘花」が第六篇迄出たことを古本屋が感づいて、一時に相場を下げて了ふからです。要するに本屋の感づかない前に直ぐ賣り拂つて了ふことです。これが一番利巧です。

◇但し、從來、「末摘花」は色んな形式のもとに、斷片的な端本がウンと市場に流れ出てますから、そうした端本ものは、これに依つて一蹴されて了ひます。だから、正本のやうな値には行かなくとも、賣り拂つて了はれた方が利巧ですな。

◇又、不幸にして、今迄、「末摘花」を所有されなかつたかたは、幸運が一時に舞ひ込んだわけで、「末摘花」を得た點に於て、この人達は最も利巧だつたと云ふことになります。

◇扨て能書は、これ位に止めて、第七、第八篇は次號に滿載し、巻に現れた凡ての句を總決算的に收めて打ち切りといたします。

◇この意味に於ても、本カーマシヤストラ第五號は非常な意義をもつものであらうと些か自惚れる次第であります。

・『号外附録集』（『変態猥褻往来』刊行案内）

號外附録　（不定期發行）

年頭の辭

昭和三年劈頭聲明書

お客づら御免の事

雜誌以外に毎月珍無類の特輯號『變態猥褻往來』の出現

來る二月末より發行の豫定
申込金前納金共に不要
締切二月十五日嚴守

變態猥褻往來

第一輯……夜這ひの巻
第二輯……寄席藝人の巻
第三輯……覗窺の巻
第四輯……泥棒の巻
第五輯……浮浪淫賣婦の巻
第六輯……お座敷落語の巻
第七輯……カイヤの巻（婦女誘拐）
第八輯……乞食の巻
第九輯……タカモノの巻
第十輯……妾畜の巻
第十一輯……不良少女の巻
第十二輯……香具師の巻

酒井氏『日本張形考の』豫約者諸氏へ

『しとりご』（關房秘語集）

エルクタープ發送の豫定つく

お願ひ

豫約者以外の氏へ

五拾部だけ頒布の『舌耡三味線國』（日本猥褻俗謡集）

至急申込まれ度し

ストトン節の例

小原節の例

磯節の一例

鴨緑江節の一例

俗謠集

號外

昭和三年劈頭聲明書

お客づら御免の事

受難多き本誌も愈々急速度に復活の道がついて來たので、次號を期し更に〳〵内容を深刻に又は文献の蒐集に精進することに決定しました。それで今回、その改革に基き、内に原稿印刷の嚴選を行ひ、外に會員諸氏の整理に務めることにしました。で、先づ豫言して置きたいことは、全會員數のうち百五拾名だけオミツトさせていただきます。色々整理の都合上止むを得ません。一圓や二圓の雜誌代を送られてお客づらをされることは吾々にとつて不愉快至極だからです。本誌が其内容の深刻さ撤底

どんなに追害が加はり損害を招いたにしろ、聲明しただけは完全にやつてのけます。ただ時日と經費の問題です。折角苦心に〳〵を重ねてやりかけてゐても、自分の苦心人知らずで、ガミ〳〵催促されるに至つては愈々癎癪玉が破裂します。それに大體諸氏のうちの或る小數の人達には、吾々に對する同情なんて皆無も見出せなかつた。勿論吾々は徒らに見えすいた同情など實物にしやうとも思つてゐません。同情とは物質ではない。斯うした人達は到底吾々のグループぢやないのですから、今回除名していただきました。吾々のものばかりがエロトロジーでもないんです。他に『變態資料』もあれば『性文學』一派の雜誌もあるんですから、その方へドシ〳〵倉替へされたがいいでせう。

或は又、吾々の出すものが高價過ぎると云ふなら、千頁一圓の叢書もある世の中ですから、その方へ行かれたがいいでせう

要するに今回からの方針は、部數を思ひ切り減らして、撤底した内容のものを造らうとすることなんです。

で、此方針を斷行するについて、次號より出來るだけ部數を制限して行くことに務めますから、吾々の手を煩はす迄もなく、此際、此の提議に不贊成のかたはドシ〳〵勇敢に脫會通知を下さい。

諸氏にしても恐らく御同感だらうと思ひます。此際不愉快な連中を除名して、本統に愉快な人々のつどひにすることは、吾々にしても氣持ちよく仕事が出來るし、第一ケチがつかないだけでも愉快です。

此點、聲明いたして置きます

年頭の辭

○本年は此の希望に活きん。カネをタッタ十萬圓計り儲けて或は盜んで『吾輩は寃良』であるテナ事をイッて天下をマン遊する。而して大トランク一個其中には天下の媚藥、春畫、強壯藥イン具有りと有らゆる物品を仕込み、「ドノ男も〳〵イクヂがなくて話せんわ、一生の中一度は徹底して見たいわ」と嘆聲を上げて居る濃厚限りなき女を片ッ端から征服してヘド〳〵にして仕舞ふまかり間違へば仕殺す。

而て夫れを隨行の技師が「キネマ」にとり、蓄音機にとる文士が夫れを書く

三年間に凱旋する

キネマはニューヨークとロンドンとベルリンと北京と東京とペドログラードとパリーとの空の鏡へ寫し出す、文士が書いたものは三十億部計りすつて、各國語に刷り分けて飛行機でまきちらす。蓄音機は各國語別により強力なる私設ラヂオで放送する、而して世界の大混亂を尻目にかけ、冷笑しつゝ自製マラ形大飛行機に乘じ昇天する、ドーダ汝酒井汝梅原隨行に連れていつてやらうか？おい、〳〵マダ大丈夫だよ巣鴨などへ電話をかけちやいかんよ。

雜誌以外に毎月珍無類の

特輯號『變態猥褻往來』の出現

來る二月末より發行の豫定

酒井氏『日本

豫約者

○本書は御存じのやうな結果となり、目下、原稿もなにも手に入らぬため、再稿に取りか

附録

（不定期發行）

す。本誌が其内容の深刻さ撤底した點に於て、他の凡ゆる雜誌に劣つたらお目にかかりませう吾々は如何に、現代の制度に反逆し、官憲と闘ひつつあるかは成程諸氏の大部分は御存じないかも知れません。吾々は此際不愉快な分子を削除して、更に〳〵撤底した內容に向つて突進せんとするものです。今や吾々の道樂も支那版を出し、英佛版の出現を近々見んとしてゐる矢先きなんですから、七面倒臭い日本版なんか、お客づらをされてまで出す必要はないんです。段々とメンバーを減らして本統に理解のある諸氏のみに頒けることにしたいんです。言ひ換へれば、次號より內容をウンと深刻にして數々減らして行きたいと云ふんです。泥棒呼ばりや、お客づらや、他人行儀の人々をオミツトして內輪の人々ばかりにして行きたいんです。此の意味に於て、不愉快なかたには潔よく止めていただきます。

本叢書は二月末より每月特輯號として雜誌と一緒に或は其れと前後して出ることになりました。何事に依らず少し穿つた實のあるものとなれば、それのみが一冊にならねば本統に面白いものが出來ない。此意味から本叢書は聲な大膽なる筆致のもとに遠慮なく生れた次第であります。それで本叢書の希望者へのため申込規定文を上海から送つて來ましたから、今玆に掲げるならば

◇希望者は卽刻、別紙（申込書）に署名の上封書にて送られたきこと

◇申込金前納金共に不要也

◇會費前納は誠に結構なれど泥棒呼ばりや催促狀舞ひ込みて五月蠅さければ御手許に屆きたる上ほて御送金下されたきこと。但し仕事の性質を眞に理解さるゝかたに限り前納誠に結構也。如何となれば有り餘る金を持ちての道樂にては無之きため也。

（特輯號の會費每月送料共貳圓也）

◇特輯號は每月一冊宛發行の豫定なれど四月末より每月二冊宛出る月もあり。

◇特輯號の申込締切期日は二月十五日也。隨つて每月餘分作らざれば締切後の申込に應じ難し。

◇特輯號の目錄は左に掲げたるも詳しき說明は一切略きたれば、內容自らさとられたきこと。一々說明せざれば納得し難き人こそ厄介也。斯かる氏は本叢書の豫約者たる資格絕無也

◇本叢書は變態十二史なぞの生ぬるき代物とは些か趣きを異にし何れも內容の大膽トリックの奇想天外なるに當協會生命にかけて保證仕り候

◇特輯號の發行目錄は左の如くに候

[illegible]二月末より發行の豫定

申込金前納金共に不要

締切二月十五日嚴守

變態猥褻往來

第一輯……夜這ひの卷
第二輯……魔窟の卷
第三輯……寄席藝人の卷
第四輯……泥棒の卷
第五輯……浮浪淫賣婦の卷
第六輯……お座敷落語の卷
第七輯……カイヤの卷（婦女誘拐）
第八輯……乞食の卷
第九輯……タカモノの卷（印藝圖其の他）
第十輯……姿畜の卷
第十一輯……不良少女の卷
第十二輯……香具師の卷

第一輯たる變態猥褻往來（夜這ひの卷）は全國各地に起りたる實際の夜這ひ奇譚のみを蒐錄したるものにて、取材の多くは現代より、而して文章は何人にも讀み易き原文一致の現代語を用ひしもの也。來る二月末日發行の豫定。第二輯以下の發行は其都度御報告仕り候

い。

諸氏にしても恐らく御同感だらうと思ひます。此際不愉快な連中を除名して、本統に愉快な人々のつどひにすることは、吾々にしても氣持ちよく仕事が出來るし、第一ケチがつかないだけでも愉快です。

此點、聲明いたして置きます

エルクターブ 發送の豫定つく

エルクターブは色んな事件るため遲れ〳〵て本年に至しも二月十二三日頃發送の見込附たる由

お願ひ

會費滯納乃至は不足の氏は本誌着と同時に拂込みトさい。此點おたのみいたします。

酒井氏『日本張形考の』豫約者諸氏へ

○本書は御存じのやうな結果となり、目下、原稿もなにも手に入らぬため、再稿に取りかかつてゐますが、どうしても今年の五月末ぢやないと物になりません。それで、豫約者諸氏へは誠に申譯けありませんがその代りとして玆に相談の結果左の珍品を送り、該書に代用していただくことにいたしました。題して

『しとりこ』（閨房秘語集）

これは説明迄もなく閨房に於ける秘語を集めたもので、一名『よがり聲の研究』とも云ひます。

『しとりこ』は該書の代用として出すもので、該書の關係は、これで一段落をつけたいと存じます。

豫約者以外の氏へ

今回、豫約者の（日本張形考）を『しとりこ』に變更いたしましたについて、張形考の豫約者以外に相談の結果五十部だけ餘分を造ることにいたしました。で、若し希望の場合は大至急お申込み下さい。會費は五圓三拾錢ですが、本が饋賓に貴方のお手許へ届いてから御拂込みになつていいです。ただ申込みのしるしとして御手紙だけ下さい。

五拾部だけ頒布の『舌禍三味線國』（日本猥褻俗謡集）

至急申込まれ度し

兼てお約束のかたへは四五日中にお送りいたします。が、御存じのないかたにはお頒けしてあげるために特にあと五十部だけ手に入れました。日本に於ける凡ゆる俗歌の猥褻なもののみ蒐集したもので、裝幀と印刷の珍と共に遊びには何を置いても携へねばならぬと云つた代物です。左に目次と内容を二三揭げ

おまんこと肛門の境の
あの大淫しん
流す小便はアリヤ
多けれどヨイショ
月に一度のヨツコリア月經でよ
明日は亦月經で出來やせぬ
チヨイ〳〵

關の五本松節の例

關の女は火消のポンプ

二上り新内
ホの部
ホツトイテ節…房州民謡……
トの部
都々逸…ドン〳〵節…トヂツトン節…鳥取民謡……
チの部
チリツプ節…チヨイト節…青島節
オ、ナの部
小原節…オイトコ節…おぼこ節…粋だわね節…鴨緑江節…オヤ〳〵節…大島節……
ソの部
私の淘寶節……
カの部
カツポレ節…カマヤセヌ節……
ヨの部
米山甚句…吉原滑稽節…ヨサヨサ節……
メの部
高田甚句…丹後節…丹波節……
ナの部
名古屋甚句…何させう節…ナンダ節…なげ節…七さこ責め……
ラの部
ラツパ節…
ウの部
宇治茶摘み唄……
ヤの部
山中節…安來節…八木節…鍋さび
マの部
マツクロケ節…マガイ、ンデセウ節…松前追分節……
フの部
深川節…フイトサ節……
コの部
コチヤ……

の出現

定

要

守

は本叢書の豫約者たる資格絶無也
生ぬるき代物とは些か趣きを異
ックの奇想天外なるに當協會生
くに候

來

這ひの巻
窟の巻
席藝人の巻
棒の巻
浪淫賣婦の巻
座敷落語の巻
イヤの巻（婦女誘拐）
食の巻
カモノの巻（叩藝團其の他）
畜の巻
良少女の巻
具師の巻

（ひの巻）は全國各地に起りたる
たるものにて、取材の多くは現
讀み易き原文一致の現代語を用
の豫定。
告仕り候

す。この閨房に於ける秘語を集めた研究は、未だ嘗て世界に其例なく、全く吾々の企て其物が世界に於ける最初の記録となるものなのであります。

が、強いてとはすすめません。若し飽迄も（日本張形考）でなくば厭やだとなら、今年の五月末迄で待つて戴きます。そして、そのかたへは一旦御返金いたしませう。事件發生以來吾々の蒙つた損害は莫大なものでありましたが、吾々も男です。此儘安價な同情に縋つて猫ババをきめるものではありません。責任感は吾々にとつての生命です。この『しとりこ』所謂（閨房秘語集）の出版にしろ、出來上る迄は並大抵の苦勢で濟む代物でありません。ここを察して下さい。

で、この『しとりこ』は、二月二十日頃お送りいたします。そして（日本張形考）が五月末に出來上つたら再び募集しますから、改めて申込んで下さい。

す。左に目次と内容を二三掲げて置きます。希望者は大至急お申込み下さい。

内容の一例

都々逸の一例

あたしがそんなに可愛いなら奥
歯でつめ紙嚙んで見な。

○

入れてもちやけて氣の行く時は
貧乏世帯も何んのその

○

月に一度はおそゝでさへも
つめ紙くわえて血の涙。
おめの臭いのを裁判所で開けば
嚙で磨けのおさばきか。

磯節の一例

赤い湯巻をまくりあけ
サイショネ
おめの穴ロ滑り込むおめのね
穴ロイソ滑り込む
テンヤ〳〵イサヽカリン〳〵
好かれちやドン〳〵

鴨緑江節の一例

閨の女は火消のポンプ
燒けたおちんこを消し止める
ショコホイショコ
イチリキヤノホンマツホイ

ストトン節の例

好いて好かれて惚れられて
一度もせずに死んだなら
あたしのまんこも土になる
それぢアあんまりつれなかろ
ストトン〳〵

小原節の例

なんぼ言ふても上から乘らぬ
家の親爺はオハラ無性もの
ちんぽがふくれりや
精虫が飛び出す
飛び出す精虫が
騒動の種だよ

目次

「俗謡集」　送料共參円五拾錢です

『文藝市場』『カーマシヤストラ』総目次

＊本目次は、タイトル　執筆者（原本ページ数）　復刻版ページ数、の順に表記した。

第1巻

『文藝市場』　第3巻第5号　より関連資料

『文藝市場』　第3巻第6号

『文藝市場』第3巻第7号

第2巻

『文藝市場』第3巻第8号

『文藝市場』第3巻第9号 九月十月合本 世界デカメロン号

第3巻

『カーマシヤストラ』No.1 第3巻第10号

『カーマシヤストラ』No.2 第3巻第12号 第4巻第1号

第5巻

『カーマシヤストラ』No.5　第4巻第5号

『カーマシヤストラ』関連資料

『文藝市場／カーマシヤストラ』解説

島村 輝

「刊行にあたって」にも記したように、今回の復刻により、『変態・資料』『文藝市場』『カーマシヤストラ』『グロテスク』という、梅原北明が編集に携わった「エロ・グロ・ナンセンス」関係の雑誌が一通り揃うこととなる。このようなサブカルチャー領域からの権力批判、文明批評の有効性については、現在の「文化研究」の動向との関連で、さまざまな議論が進められているところであるが、いずれにせよ北明を中心とする一党が残したさまざまな雑誌、珍書・奇書類は、サブカルチャーの領域から、近代をそして現代を照射する貴重資料であることは、異論の余地のないところであろうと思われる。すべての文学・文化に関心を持つ人々が、これらの復刻を手許に置き、味読されることを心から希望する。

I

梅原北明（一九〇一～一九四六）については、これまでの復刻解説にもその経歴を記してきたところであり、また近年の研究[1]でもその出版文化史、サブカルチャー史上の位置づけについて、あらためて評価を受けているので、本稿では、必要に応じてごく簡単に、『文藝市場』『カーマシヤストラ』刊行の頃に関連する範囲でその略歴について触れておくにとどめる。

一九二五（大正一四）年一一月、北明は雑誌『文藝市場』を創刊する。『文藝市場』創刊の前年にあたる一九二四（大正一三）年には、関東大震災の打撃からの立ち直りを目指してプロレタリア文学の中心的雑誌とされる『文藝戦線』が創刊（六月）され、また後に「新感覚派」と名付けられることになる、横光利一、川端康成、片岡鉄兵ら若手作家が集った、モダニズムの傾向の強い『文藝時代』も創刊された（一〇月）。こうした意欲的な雑誌の創刊が相次ぐ中、『文藝市場』は当初プロレタリア文学派の雑誌として出発し、一九二六（大正一五・昭和元）年には「当時のプロレタリア文学の発表機関としても代表的なもの[2]」と評価される内容となった。

この時期の『文藝市場』の特色として、瀬沼茂樹は①プロレタリア文学に重点をおいて、この傾向を推進しようとしている点、②妖怪、魔窟、その他の軟派の変態資料、あるいは回顧資料を発掘、収載している点、③文壇資料が豊富に掲載されている点を挙げている[3]。もともと『文藝市場』は、このように、今日から見れば異質とも思える雑多な要素の相乗りという性格を持ったものであった。一九二六年に入って、編集実務を中野正人が担うこととなり、その実質が瀬沼の挙げる①の要素、すなわちプロレタリア文学雑誌としての性格への傾斜を著しくしたが、それもつかの間、同年五月号を以って『文藝市場』はプロレタリア文学雑誌としての性格をほぼ完全に放棄して、梅原北明の「個人編輯雑誌」となり、先に挙げられた②③の要素を全面的に標榜する、サブカルチャー・マガジンに変身を遂げることとなったのである。

同人雑誌から北明の「個人編輯雑誌」へと転換する事情の一端は、同人誌としての最終号にあたる第三巻第五号

（一九二七〈昭和二〉年五月）に掲載された、北明による次のような告知から窺われる。

本誌は本号を最終として、従来の同人雑誌の形式を一旦解散して了ひます。そして六月号より小生の個人編輯雑誌に改めます。毎号ページは百五十頁以上定価五十銭で、つむじの曲つたへねくれた文献雑誌にして了ひます[4]

また同号の「編輯後記」には、

本号は次号から豫告通り、梅原君の個人雑誌になる。が、従来の文藝市場と同趣旨のものが、他の表題のもとに創刊される筈である。その点諒として相変らずのご愛読を乞ふ。[5]

と記されている。[6]

すでに日本近代文学館から刊行されている同誌復刻版では「学術資料として復刻する文芸雑誌としては史的意義をもっている当初の同人雑誌時代に限る[7]」と評価され、その内容は創刊号から第三巻第五号までとなっている。本稿筆者のもともとの専門領域はプロレタリア文学であり、この同人雑誌時代の『文藝市場』の内容については、ますますの学問的検討が行われることが望ましいと考えるものである。しかし、かつての復刻にあたって除外されてしまった、北明の「個人編輯雑誌」となってからの同誌には、以前の観点とは変わった視角からの再評価がなされるべきであろう。今回の復刻は、まさにその機が熟してきたことを示すものである。

Ⅱ

以下、北明の「個人編輯雑誌」となり、「つむじの曲つたへねくれた文献雑誌」に変身を遂げた『文藝市場』の内容から、興味をそそる諸点を摘記し、簡単な解説を加えることとする。

新生『文藝市場』内容改革六月号は、一九二七（昭和二）年六月一日発行（奥付に拠る。以下同じ）、編輯人は「梅原北明」発行兼印刷人は「梅原貞康」と、本名とペンネームを使い分けている。発行所は「文藝市場社」、定価は五拾銭とある。「編輯後記」には、

ヤア今日は、と先づ諸兄へご挨拶をします。一年越の久〳〵で又本誌の本欄へ顔を出しました。[8]

とある。「編輯後記」のこの部分の署名は（梅原）となっており、「一年越しの久〳〵」とは、同誌一九二六（大正一五）年一二月号での「後記」執筆以来の登場ということを示す。この部分で北明は「明治文学研究者にとっての唯一無二なる珍書「我楽多文庫」を復製《ママ》しました。ほんものそつくりです。紅葉や眉山、美妙等の活躍した悪童時代が手にとるやうに解ります」と宣伝している。北明らしく「五百しか印刷しませんすぐなくなりますから、欲しい人は今のうちに」と口上を付け加えていて、本号にはこの複製版「我楽多文庫」の同一文面の広告が、ウラ表紙を含め三カ所にもわたって掲載されている。

北明の後には（潔生）の署名による部分が続く。「フラ〳〵と遊びに行つたら、丁度イ、所へ来た。編輯後記を半分書け。俺はとても忙しいのだと煙草の煙を彼は私の息へ吹きかけた」などとあり、酒井潔が顔を出したことが示さ

れている。

二〇一二（平成二四）年、国立国会図書館の「近代デジタルライブラリー」で、著書『エロエロ草紙』[9]が五カ月連続ダウンロード数一位となったことで一躍再び注目を浴びることになった酒井潔（本名・精一）は、一八九五（明治二八）年に名古屋で生れた。北明一党の大番頭ともいえる人物である。早くから絵画に才能を発揮し、美術学校を卒業後東京郊外にアトリエを構えて画業を続ける傍ら、好色文学・文献を収集する。また一九二五（大正一四）年には魔術や秘薬の研究に没頭し、ついには全く画業を放擲するにいたった。その頃『文藝市場』同人たちとの接触がはじまり、その頭目である梅原北明と出会うことで、酒井はその才能と蓄積を存分に発揮することとなる。『文藝市場』『変態・資料』『グロテスク』などに次々と寄稿する傍ら、単行本も相次いで発行していく。代表作に『愛の魔術』（一九二九年）や『巴里上海歓楽郷案内』（一九三〇年）、代表的な訳書に『さめやま』（一九二九年、フェリシアン・シャンスール作、酒井潔・梅原北明共訳）などがある。多くの著作は当局より発禁となり、出版が許可されたものも膨大な伏字を余儀なくされた。一九五二年、京都にて死去。晩年は日本基督教団京都教会の信徒として活動しており、葬儀も同教会で執り行われた。本号においても「世界珍書解題（一）千一夜物語」「一日一夜物語」を執筆している。

本号には、同じくこの頃の北明一党の中心人物の一人である、佐藤紅霞が「川柳変態性慾史」を執筆している。佐藤紅霞（本名・民雄、一八九一～一九五七）は、『文藝市場』の同人ではなかったが、著者や訳者として、昭和初期艶本時代の主要な役割を果たした。本号刊行のやや前に発刊された『変態・資料』一巻三号（一九二六年一一月）は全巻の三分の二、一〇〇頁以上を佐藤紅霞編の「性慾学語彙（上巻）」に充てている。[10]酒井潔と佐藤紅霞の両名こそ、北明とともに個人誌版『文藝市場』『変態・資料』そして『カーマシヤストラ』『グロテスク』へと連なるエロ・グロ雑誌の刊行を果した人脈の中心といえよう。

北明は本号の巻頭を飾る特集「「八百屋お七」二百五十年追善供養紀念文献集」中の「お七がためのお七祭」の他「近世落書報道史（赤穂義士の巻）」「反逆異聞　竹橋騒動史」「実録高橋お傳夜刃譚（当時の新聞記事）」と複数の記事を執筆し、さらに「故澤田撫松氏追悼」にも文章を寄せるなど、八面六臂の活躍ぶりを示している。

七月号は、一九二七年七月一日発行、編輯人、発行兼印刷人の表示、発行所、定価の表示は前号通りである。表紙は独特の手書き風字体と、篆刻風印判により「耽奇、探美、珍書、文献の万華鏡陳列場　清新七月号」という文字構成でデザインされている。北明は「獣姦雑考」「女衒考」、酒井潔は「日本性愛奥義篇（總論世界張形考）」「世界珍書解題（二）アナンガ・ランガ」、佐藤紅霞はハンブレー著「世界文身考」を訳出掲載している。また、どういうわけか目次から漏れているが、一代の書痴として知られる斎藤昌三[11]が「明治文藝雑談（一）硯友社とその一派の雑誌」を執筆しているのは、「我楽多文庫」の復刻刊行に合わせてのことであろう。この他の筆者としては、藤澤衛彦、サトー・ハチローらの記事が興味を引くところである。また本号一四〇頁には、北明により「「フアンニ・ヒール」の偽版その他」という告知記事が載せられている。

八月号は、一九二七年八月一日発行、編輯人、発行兼印刷人の表示、発行所、定価の表示は前二号と同一である。本号表紙は表ウラを通してデザインされたもので、「発売禁止道中双六（書籍道中初旅の人々に捧ぐ）」とあり、「神秘をあばく　新聞紙法による雑誌発禁の経路」として、複雑な検閲と、発禁処分にいたる手続きの流れを、双六風に図示したものとなっている。本号巻頭は酒井潔の図版入記事「宗教刑罰の惨虐」、北明の「近世惨虐犯罪史」があり、佐佐木俊郎の「木樵小屋の惨劇」なども含めてグロテスク趣味の前面に出たものとなっている。「世界珍書解題」は佐藤紅霞による「（三）エル・クタープ」と泉芳璟による「（四）ラティラハスヤ」の二本立てである。また和田信義「テキヤ細見」は、知られることの少ない特殊な社会の考証的紹介として注目すべきものといえるだろう。本号では

「編輯後記」に替り酒井潔、佐藤紅霞、梅原北明の連名で「暑中見舞」の挨拶が付されている。

北明個人編輯となってから四号目にあたり、雑誌自体の一応の終刊号となった「九月十月合本　世界デカメロン号」は、一九二七年一〇月一日発行、編輯人、発行兼印刷人の表示、発行所、定価の表示は前三号と同一である。本号は表題に示されているように、「デカメロン」と、それに類似するような古今の文献の紹介等がほぼ全篇を占める特集号となっている。巻頭には北明の手になると思われる「デカメロンの文献について」、続いて北明訳の「でかめろん」の七日目第一話から第十話、九日目第三、第六、第十話が掲載されている。続いて道出茂好「ペルシア・デカメロン」、酒井潔「おろしや。夜話（ロシア・デカメロン）」、伊藤竹酔「日本でかめろん（古代篇）」、北明訳の「えぷためろん」（抄訳）、佐藤紅霞「蚤十夜物語（英吉利）」[12]、酒井潔「二日二夜物語」といったラインナップが続く。エルセン画「売笑婦の一生」を挿んで、石角春之助「往昔丹波情調」、南江二郎「ロップスの秘戯畫」、酒井潔「古代東洋性慾教科書研究」さらにシリーズの「世界珍書解題（五）」として北明が「素女秘道経」を執筆している。

本号には「編輯後記」に替って「身辺雑記」が付されている。そこには、

日本にゐるのが全くいやになつた。やれ警視庁でござい。やれ内務省でござい。等、等……。尻の穴の小さい小役人の横行する国。全く日本は成つちやいない

とあり、末尾に「（一九二七年八月三十日、満支に旅立つに際して）」とあって、北明が日本を離れることが示されている。[13] 関連の資料として、本号に付されたと思われる、梅原北明による「重要雑記」を参照されたい。そこには本号収載の「デカメロン」、「古代東洋性慾教科書研究」「蚤十夜物語」といった、本人や酒井潔、佐藤紅霞の記事の称

揚とともに、「次号は本誌の満弐週年を迎へることになります。それを紀念すべく左の改良を断行いたします。内容は尠くとも従来の倍以上徹底的に、深刻に突き進みます。凡ゆる障害物を超越して鋒先き鋭く邁進いたします」との宣言が掲げられている。その「徹底的」「深刻」の内容がどのようなものとなったか、後継誌たる『カーマシヤストラ』の内容を辿りながら、詳しく見てみることにしよう。

Ⅲ

梅原北明個人編輯誌『文藝市場』は上述のような次第で一先ず終刊し、その直接の後継として刊行されたのが『カーマシヤストラ』である。創刊号目次に「上海移転改題号（第三巻第十号）」とあるのはそうした事情による。『文藝市場』最終号に北明が中国大陸に旅立つ旨が記されていたが、本誌の発行所は全巻を通じて上海となっている。ただし先にも述べたように、本当にこれらすべてが上海で印刷発行されたものか、少なくともその幾分かは日本国内で刊行されたものかについては定かではない。

誌名である「カーマシヤストラ」とは、サンスクリット語の「カーマ」（欲望、愛。この場合には、エロチックで官能的な性的欲望）と「シャストラ」（教訓、規則、マニュアル、大要、本や論文。この場合には聖典）の合成語であり、古代からインドに伝わるこの種の一連の文献を指す。有名な「カーマ・スートラ」は、その代表的なものに数えられる。

創刊号となるNo.1、一一月号（第三巻第一〇号）は、鮮烈な赤い表紙の右上に、仏画とタイトル「Kama-Shastra」を記した題箋の貼付されたものである。一九二七年一〇月三〇日印刷出版（奥付に拠る。以下同じ）、編輯人は「（英国人）サー・フレデリック・ジヨンース」、発行印刷人は「（中華民国人）張門慶」、発行所は「ソサイテイ・ド・カーマシヤストラ」とある。

編輯人とされているサー・フレデリック・ジヨンースは、巻末の「編輯余談」で「今回、計らずも、ヱロテック・ビビリオンソサイテイ極東支部の代表者としての私の手に、東洋唯一の権威たる文藝市場社の一切の事業と編輯とを託された私は今、余りに大きな驚きと感激に充ち〳〵て居ります」と記しているが、この人物についても、発行印刷人の張門慶についても、その詳細は不明であり、北明一党によるカムフラージュであることが、強く疑われるところである。事実「哈哈笑寸話」の清道士以外、執筆陣は梅原北明、酒井潔、そして佐藤紅霞（「蛋十夜物語」の紅霓娘は紅霞の別名）であり、本誌の性格を物語っているというべきだろう。「蛋十夜物語」「愛の魔術」「明治性的珍聞史」など、内容はそれぞれの執筆者たちが並行して進めている企画などと関わるところが多い。

No.2となる次号は一九二八（中華民国一七、昭和三）年一月廿五日印刷、（非売品）と表示されている。編輯発行兼印刷人は「張門慶」、発行所は上海の住所、日本取次所は牛込の住所で「国際民族学協会極東支部」となっている。二頁には「日本版總編輯責任監督者」として梅原北明、「日本版編輯兼発行代表者」として「サー・フレデリック・ジヨンス」の名が掲げられ、「国際民族学協会極東委員会」の依頼による原稿に依って編集されたものとされている。

本号には口絵として「此事実を見よ！（戦争を呪ふの巻）」が付されているが、その内容は戦傷、戦死者の生々しい写真画像であり、反戦思想の表明というより、グロテスク趣味の露呈といった感を催させるものである。所収の文章の大半には執筆者の表示がないが、例えば「猥褻風俗史」[14]は佐藤紅霞の、また「女陰崇拝考」は酒井潔の執筆によるものと容易に推定される。例外的に「続浅草裏譚」には石角春之助[15]という執筆者名が付されている。

「別冊」とされる一巻は、本号のものという表示はないが、おそらくはなんらかの事情で本号に収められなかった内容を補塡するために、発行されたものであろう。[16]大曲駒村の「「《ママ》末摘花」に露はれた婢女観」は、終刊第五号の「末摘花」特集を予告するものとなっている。「紅霓女」名での、佐藤紅霞訳「蛋十夜物語」の続きも掲載されている。

また日付のない「号外附録」という資料があるが、「昭和三年劈頭声明書」などの記事があることから、おそらくはNo.2に先立って「別冊」とともに配布されたものであろうと推定される。

No.3は一九二八年二月廿五日印刷、（非売品）と表示されている。編輯発行兼印刷人、発行所、日本取次所は前号と同様である。「編輯前記」に「えくせ・ほも（ヱクセ・ホモ）」についての言及がある。[17]本号も多く執筆者名を欠くが、「蚤十夜物語」「猥褻風俗史」「続浅草裏譚」などの連載は続いている。また近世戯作の序文を集成した「狂言痴語抄」、巫山亭主人夢輔戯述の戯作「狂蝶新語」の新掲載、「サッド侯爵評伝」など注目すべき記事が組まれている。

No.4は一九二八年三月五日印刷、（非売品）と表示されている。編輯発行兼印刷人は前号と同様「張門慶」であるが、発行所については上海の住所のみ記されており、日本取次所「国際民族学協会極東支部」の表示はない。本号の大半は先行の号からの連載または続編となっている。巻頭の「性的見世物考」は、その内容や語り口から、北明の執筆と推定できるのではなかろうか。

「ジヨーンス」名による「編輯前記」には「四月に出る、春季増刊号は、会費も安いし、内容も頗る珍ですから、これだけは何人にも是非おすすめいたしてをきます」「最後に、本号の「性的見世物考」は最近の逸物ですが、次号にはドシ〳〵逸物の大ものばかりがお膳立てされましたから、必ず〳〵お期待願ひます」と記されている。終刊となる次号がそのどちらにあたるものとして計画されたものかは判然としないが、いずれにせよNo.5を以って『カーマシヤストラ』も終刊することになる。

そのNo.5は一九二八年四月五日印刷。その他の表示は前号同様である。「編輯前記」にあるように、本号は「呂仙師養精口訣に依る百戦必勝の翻訳」たる「閨房大秘術」と、川柳「末摘花」の完撰版の大部分が掲載されている。「末摘花」は正式には「誹風末摘花」と題された、江戸時代中期、似実軒酔茶によって編纂された四編四冊からなる川柳集である。『万句合』などのなかからわいせつな句だけを集めたもので、当時の庶民風俗を探る貴重な文献である。現在の研究から見れば遺漏や不備を指摘することはできるが、この当時にその完撰版を刊行しようとしたことの意義は、高く評価されるべきであろう。[18]

本号にも上記のように次号の予告はなされているが、正確な時日は不明ながらこの時期に帰国した北明は出版法違反で市ヶ谷拘置所に長期拘置されることとなり、予告されたNo.6は幻の号となった。[19] しかし北明はそれにめげることなく、仮釈放後ただちに『グロテスク』刊行の内容見本制作に着手するのである。[20]

＊　＊　＊

注などにも記したように、今回の『文藝市場』（梅原北明個人編輯版期）、『カーマシヤストラ』復刻刊行にあたっても、ウェブ上の「地下本」ガイドサイトとして知られている「閑話究題　XX文学の館[21]」館主・七面堂究斎氏より、数多くの資料を拝借した。快く借用、復刻をお許しくださった七面堂氏、また二期にわたる『叢書エログロナンセンス』復刻刊行に尽力してくださった、ゆまに書房・高井健氏に、この場を借りて厚く御礼を申し上げたい。

（しまむら・てる　フェリス女学院大学教授）

注

1　最近におけるその代表的な成果として、秋田昌美『性の猟奇モダン――日本変態研究往来』（青弓社、一九九四年九月）、竹内瑞穂「〈変態〉を繙く――江戸川乱歩と梅原北明の〈グロテスク〉な抵抗」（竹内瑞穂＋「メタモ研究会」編『〈変態〉二十面相――もうひとつの近代日本精神史』六花出版、二〇一六年九月 pp.1-19）などがある。

2　瀬沼茂樹「解説」、『文藝市場』復刻版、日本近代文学館、一九七六年五月 p.11。

3　瀬沼2に同じ。pp.14-15。

4　梅原北明「文藝市場の内容改革に就いて――（六月号豫告）――」、『文藝市場』第三巻第五号、一九二七年五月 p.45。

5　青山生「編輯後記」『文藝市場』第三巻第五号、一九二七年五月 p.79。

6　もっともここに書かれているような、それまでの『文藝市場』の後継としてのプロレタリア文学雑誌が続刊されたという事実は認められない。

7　瀬沼2に同じ。p.11。

8　「校了の日に」（梅原）、『文藝市場』一九二七年六月号 pp.190。

9　酒井潔『エロエロ草紙』竹酔書房、一九三〇年。

10　この「性慾学語彙」は編者・佐藤が以前から準備していた原稿であり、見出し語の配列はドイツ語を基にして行われている。この「上巻」には「アベンチユアスフト　Abenteuersucht」から「ルストモルド Lustmord」までが収録されている。「下巻」は通巻一〇号目に「臨時特別号」（27・6・25）という形でこちらは一冊分まるまるをこの「性慾学語彙」に充てて刊行された。この「性慾学語彙」は後に『世界性慾学辞典』（一九二九年・弘文社）として単行出版され、発禁となっても改訂して版を重ねるほどの人気を博すこととなる。なお、洋酒などの輸入貿易を生業としていた佐藤は、『グロテスク』二巻四号（27・5・25）に「艶色変凾美酒」と題するカクテル入門の小文を掲載している。

11　斎藤昌三（出生届時の本名・政三、後昌三に改名、一八八七～一九六一）は神奈川県座間の生まれ。父は地元で百貨店を経営していたが不振に陥り店は廃業、二〇歳の昌三は横浜で貿易の仕事に携わる。この雑貨商時代に宮武外骨らとの交友がはじまる。関東大震災後、北明らとの関係から商売を止め、文筆業に入り、『変態十二史』のうち二冊を執筆した。斎藤は当時第一級のコレクター、マニア、出版文化オタクといってよい存在であり、「戦前のきわめて特殊な出版状況の中で、ただ、伝統文化としてのエロではなく「エロ」として特殊化できる文化固有の世界に蒐集癖を駆使し展開させた貴重な存在」（秋田昌美 i既出書、p.65）という評価を得ている。そうした斎藤の活動の基盤となったのが、彼の創業になる書物展望社と、そこから刊行された『書物展望』、および多数の出版物である。

12　本編は、その後『カーマシヤストラ』に継続連載され、一九二九年頃、文藝資料研究会により『蚤の自叙伝』pp.1-351 として完訳版が出版される。当初「蚤十夜物語」というタイトルになっているのは、『文藝市場』連載開始当初号の『デカメロン』

特集に合わせて改変されたものと考えられる。地下本書誌サイトとして著名な「閑話究題　XX文学の館」に詳細な考証と考察がある。http://www.kanwa.jp/xxbungaku/HihonEngi/Nomi/Nomi.htm

13　「身辺雑記」、『文藝市場』一九二七年九・一〇月合本、p.322。

14　本編はEduard Fuchsの『Sittengeschichte』の翻訳である。この大著の「文藝復興時代篇」は『フックス絵入性的風俗史』（佐藤紅霞訳、萬里閣、一九二七年六月 pp.1-568）として刊行され、さらに『世界奇書異聞類聚第八巻　変態風俗史』（佐藤紅霞訳、国際文献刊行会、一九二八年 pp.1-372）としても出版されている。本号所載分は、タイトルに（自中世至近代）と添書されている。

15　石角は『文藝市場』一九二七年七月号に「玉の井魔窟探検」「木賃宿巡礼」を、同八月号に「浅草の今昔」を執筆掲載しており、本稿はその続編である。

16　この件について、「閑話究題　XX文学の館」では「No.2は出来上がった時点で押収され、新たなものも印刷屋のストライキで遅れに遅れたため、仮綴の別冊と言う形で本冊より先に頒布されているものがある。発行年月他の記載がないため不明な点が多いが、新年度の挨拶を兼ねた会員通信「号外附録」が残っていることから、昭和三年一月早々の頒布と思われる」と考証している。http://kanwa.jp/xxbungaku/Magazine/Kama/Kama.htm

17　この本については、『変態・資料』創刊号（一九二六年九月）口絵に、そこからのイラストレーションを掲げており、本文中には「グロッスの禁止画集を取寄せてあげます」としてこの『エクセ・ホモ』を先着二〇人に限って取寄販売の取次ぎをするとの告知がなされている。同誌第二号（一九二六年一〇月）の「事務報告」によれば、この画集の申し込みは二八四名もあったという。

18　梅原北明と思われる編者は「若し一句でも此の輯録中に洩れたものがあれば御知らせ下さい。恐らく一句もあるまいと確信いたしては居りますが」と壮語している。

19　北明が市ヶ谷拘置所を仮釈放になった後に発行したパンフレット『亡者が娑婆に帰宅を許されたる話』（本シリーズ第I期『グロテスク』第10巻に収録）に、出版法の適用を受けるものとして「（11）カーマシヤストラ第六号（全部押収）」との記載がある（同パンフレット p.4）。http://kanwa.jp/xxbungaku/Magazine/Kama/Kama.htm

20　この間の事情については復刻版『グロテスク』（叢書エログロナンセンス　第I期『グロテスク』全10巻＋補巻、ゆまに書房、二〇一五年一〇月）に付した、拙稿による「解題」の解説を参照されたい。

21 「閑話究題　ＸＸ文学の館」http://kanwa.jp/xxbungaku/index.htm

叢書エログロナンセンス第Ⅱ期

文藝市場／カーマシヤストラ　第5巻

2016年12月15日　印刷
2016年12月22日　第1版第1刷発行

［監修・解説］　島村《しまむら》 輝《てる》
［発行者］　荒井秀夫
［発行所］　株式会社ゆまに書房
〒101-0047　東京都千代田区内神田2-7-6
tel. 03-5296-0491 / fax. 03-5296-0493
http://www.yumani.co.jp
［印刷］　株式会社平河工業社
［製本］　東和製本株式会社
落丁・乱丁本はお取り替えいたします。　Printed in Japan
定価：本体12,000円＋税　ISBN978-4-8433-4857-4 C3390